Classiques Larousse

# Chateaubriand

# René

Édition présentée, annotée et commentée
par
DENIS A. CANAL
*ancien élève de l'École normale supérieure*
*agrégé des lettres*

LAROUSSE

© Larousse 1991.
ISBN 2-03-871075-5
(Collection fondée par Félix Guirand et continuée par Léon Lejealle.)

# Sommaire

# Chateaubriand
# et son temps :
# le vertige des miroirs

## Errements et tourments : les miroirs brouillés

De 1768 à 1800, le jeune chevalier de Chateaubriand, dixième enfant du comte de Chateaubriand, est en quête de lui-même et de son image : il cherche un modèle auquel s'identifier.

### « Un ténébreux orage » (1768-1786)

François René de Chateaubriand passe son enfance et son adolescence en Bretagne. Il naît à Saint-Malo le 4 septembre 1768, au moment même où une épouvantable tempête ravage les côtes bretonnes, événement dont il soulignera lui-même plus tard la portée fatidique. Sa prime jeunesse est celle d'un fils cadet (il n'héritera pas du titre de son père), que l'on néglige quelque peu et qui se distingue plutôt par ses polissonneries. La famille s'installe en 1777 au château de Combourg et l'on envoie l'enfant faire des études à Dol, à Rennes, puis à Dinan. Il revient à 16 ans à Combourg et, comme il l'écrira plus tard dans les *Mémoires d'outre-tombe,* s'abandonne alors à « deux années de délire », la plupart du temps en compagnie de sa sœur Lucile, de quatre ans son aînée : rêveries exaltées ou mélancoliques, « vague des passions », déséquilibre mental et tentative de suicide. C'est une période capitale de la vie de Chateaubriand, où se forme l'essentiel de sa sensibilité de futur écrivain, où s'ébauche l'image du héros romantique à venir.

## « De brillants éclairs » (1786-1791)

Pour le guérir de ces troubles, on en fait un officier. Il va à Paris, fréquente les salons, s'enthousiasme pour les idées nouvelles comme le scepticisme de Chamfort (1740-1794), noue quelques amitiés utiles, dont celle de Fontanes (1757-1821), poète mondain et homme politique. Il lit Bernardin de Saint-Pierre et surtout Rousseau, dont il devient presque un disciple. Enfin, c'est pendant ces années qu'il perd la foi.

## Le Nouveau Monde (1791)

Rêvant de gloire et d'exotisme, peut-être aussi pour prendre un peu de recul par rapport à des événements politiques qui le bousculent (on est alors en pleine Révolution), Chateaubriand s'embarque pour l'Amérique en avril 1791. Il y séjourne cinq

La maison natale de Chateaubriand, à Saint-Malo.
Lithographie de H. Lorette (XIXᵉ siècle). Coll. privée.

mois, fait provision d'images et de sensations qu'il mêlera plus tard dans ses livres à de nombreux souvenirs de lecture.

La nouvelle de l'arrestation de Louis XVI le surprend en pleine découverte : il faut rentrer, sans oublier, dans ses valises, notes et brouillons.

### Pour Dieu et pour le roi (1791-1800)

Indéfectiblement attaché à la royauté, Chateaubriand revient en France et, après s'être marié à Saint-Malo en mars 1792, rejoint au plus vite l'armée des émigrés qui lutte contre la toute jeune République française. Mais il est blessé durant le siège de Thionville et doit quitter la France ; sa fuite à Londres est un véritable calvaire. L'exil londonien, qui durera sept ans, est une période de misère, de faim et de froid. Les événements politiques puis, en 1798, la mort de sa mère et d'une de ses sœurs, Julie, l'accablent. Il cherche alors le salut dans la tradition et revient à la religion : c'est à cette époque (1798) qu'il entreprend la rédaction du *Génie du christianisme*.

Le Consulat de l'an VIII (1799) paraît ramener l'ordre en France et Chateaubriand décide de rentrer. Peut-être est-ce le moment de tenter la chance littéraire et — pourquoi pas ? — politique ?

## La gloire, enfin : les miroirs lumineux ?

Dans ses bagages, Chateaubriand apporte les manuscrits des *Natchez,* sorte d'épopée américaine dont il a détaché deux épisodes *(Atala* et *René)* pour les incorporer, à titre d'exemples, au *Génie du christianisme*.

### Le génie de « l'Enchanteur » (1801-1802)

Pour se faire un nom en littérature, il publie séparément *Atala* en 1801 : c'est une réussite éclatante, orchestrée et renforcée par son ami Fontanes et par la haute société, qui fait un accueil flatteur à l'ancien émigré. En 1802, la publication du *Génie du christianisme* rencontre un succès d'autant plus grand qu'elle coïncide avec la paix d'Amiens (qui marque la fin des guerres menées par la France pour « exporter » la Révolution) et le rétablissement de bonnes relations avec l'Église. Dans *le Moniteur* (journal de la droite modérée), Fontanes associe Chateaubriand à Bonaparte (alors consul) dans l'œuvre de restauration de la foi. C'est la gloire ! La France a de nouveau un auteur... : « l'Enchanteur », comme on l'appelle dans les salons de l'époque.

## Lumières et ombres (1803-1805)

Fort de cette gloire et de plusieurs succès féminins, Chateaubriand est nommé secrétaire d'ambassade à Rome. C'est l'occasion de compléter sa culture, d'enrichir sa sensibilité et sa gamme d'expressions. Aurait-il enfin trouvé son image ?

Pas pour longtemps, toutefois, car des ombres viennent bientôt troubler cette période heureuse : la mort d'une tendre et influente amie (Mme de Beaumont), sa position subalterne par rapport à l'ambassadeur (oncle de Bonaparte), enfin, et surtout, l'exécution du duc d'Enghien, en 1804, ordonnée par Bonaparte afin d'enrayer les tentatives de la famille des Bourbons pour restaurer la royauté en France. Chateaubriand sort alors de son rêve et donne sa démission, par loyalisme royaliste.

Puis, en 1805, la mort mystérieuse de Lucile, la sœur adorée, ranime les fantômes de la jeunesse. Il faut fuir...

## L'exil intérieur : voyages et opposition (1805-1815)

Il cherche d'abord la fuite dans le voyage : la France, la Suisse, et, pendant un an, la Grèce, la Palestine, l'Égypte, la Tunisie, l'Espagne. Il y puise l'inspiration de ses livres, autre solution de fuite devant la vie réelle : *Voyage au mont Blanc (1806)*, *les Martyrs* (1809), *l'Itinéraire de Paris à Jérusalem* (1811).

De retour en France en 1807, Chateaubriand s'enferme dans une opposition résolue à Napoléon et à l'Empire, qui l'ont déçu en ne sachant pas reconnaître ses mérites. Le violent pamphlet *De Buonaparte et des Bourbons* (1814) est un manifeste royaliste qui, au moment de la chute du premier Empire, prépare les esprits à la restauration monarchique. Louis XVIII apporterait-il dans ses fourgons le miroir qui satisferait enfin « l'Enchanteur » désenchanté ?

## La Restauration ambiguë : les miroirs menteurs

Mais Louis XVIII et Chateaubriand ne s'apprécient guère l'un l'autre, bien que celui-ci soit nommé ministre de celui-là durant les Cent-Jours (le roi et son gouvernement sont alors réfugiés en Belgique, à la suite de la reprise du pouvoir, en France, par Napoléon).

### *Un ministre dans l'opposition (1815-1820) ?*

Ces mauvaises relations se révèlent lors du retour de Louis XVIII à Paris, après la défaite de Napoléon à Waterloo, et l'écrivain est évincé du ministère. Il se lance alors, par dépit, dans l'ultraroyalisme et fonde *le Conservateur*, journal de polémique virulente contre les ministères successifs. Cette guerre de libelles (articles satiriques, voire injurieux) culmine en 1820 avec l'assassinat du duc de Berry, seul neveu du roi susceptible d'assurer une descendance à la famille royale. Louis XVIII décide de calmer ces attaques en rappelant Chateaubriand aux affaires.

Parenthèse de douceur en ces temps de lutte : en 1817, Chateaubriand noue avec Juliette Récamier le début d'une longue relation.

« La lumière du XIXᵉ siècle ou l'art d'éclairer les hommes
à la manière des tyrans. » Dessin extrait
des *Caricatures historiques de Bonaparte* (1815). B.N., Paris.

## Retour aux affaires : les châteaux
## en Espagne (1820-1824)

Nommé ambassadeur à Berlin puis à Londres (1821-1822),
Chateaubriand devient ensuite ministre des Affaires étrangères.
En 1823, il fait décider l'expédition d'Espagne pour y rétablir
la monarchie absolue et punir la population soulevée contre
le roi.

Cette besogne, dévolue à la France par le congrès de
Vérone, est érigée en fait d'armes et de haute politique par
l'écrivain qui croit avoir trouvé un rôle à sa mesure : rendre
à la France sa place parmi les premières nations européennes.
Il s'agit plutôt d'une « promenade militaire », mais Chateau-

9

Dernier portrait de Chateaubriand,
par Étex (1810-1889). Coll. privée.

briand s'en montre si fier qu'il indispose le pouvoir. Avant même la mort de Louis XVIII, il est remercié (1824) et retourne à l'opposition, libérale cette fois.

### « Vive le Roi... quand même ! » (1824-1830)

Dans *le Journal des débats,* Chateaubriand combat les ministères du nouveau roi, Charles X. Sa situation financière n'est pas brillante, aussi revient-il à ses activités littéraires, souvenir de miroirs flatteurs, et publie *les Aventures du dernier Abencérage,* les *Natchez* (1826) et son *Voyage en Amérique* (1827). Il vide ainsi ses tiroirs pour tenter de renouer, au moins dans ce domaine, avec un succès qui le fuit par ailleurs. Depuis 1811, il entreprend également de dresser sa propre « statue » pour l'éternité en travaillant à ses *Mémoires d'outre-tombe.*

En 1830, bien qu'il ait condamné les ordonnances qui provoquent, en juillet, l'insurrection des Trois Glorieuses, il reste loyal à Charles X (qui abdique le 2 août) et se met à sa disposition. C'est l'un des derniers reflets ambigus de cette période de leurres.

## Fin de partie : les miroirs sans tain ?

La carrière politique de Chateaubriand est terminée ; seule reste la loyauté romanesque envers le sang des anciens rois, loin des Orléans descendants de régicide (Louis Philippe d'Orléans, le père du nouveau roi, Louis-Philippe I$^{er}$, avait voté la mort de Louis XVI). Reste aussi la littérature.

### Pour l'honneur de la duchesse et du roi déchu (1831-1834)

Chateaubriand rédige un *Mémoire* pour défendre la duchesse de Berry emprisonnée. Cela lui vaut la cour d'assises, mais il est acquitté triomphalement en 1833. La même année, il accomplit une mission à Prague auprès de Charles X exilé. Ce sont là les « barouds d'honneur » d'un vieil homme qui sait que le miroir politique est définitivement brisé pour lui.

## Une statue pour l'éternité (1834-1848)

À part quelques travaux alimentaires et une œuvre de mortification (*la Vie de Rancé,* en 1844), Chateaubriand s'occupe surtout à regarder sa vie et à en rendre compte pour la postérité. Mélange de sincérité — quelquefois bien tardive — et de composition habile (comme on compose un personnage), les *Mémoires d'outre-tombe* dressent peu à peu, sous la plume laborieuse de l'auteur, l'image d'un homme désenchanté qui aurait bien voulu que son ombre projetée sur l'Histoire fût plus grande. Mais Napoléon Bonaparte, de un an son cadet, a occupé seul le devant de la scène et Chateaubriand a pour seule revanche la littérature et la perfection de son travail.

L'amour aussi, avec la tendresse lumineuse de l'Abbaye-aux-Bois (le salon parisien où Mme Récamier reçoit) : depuis le début de leur liaison, les sentiments de Juliette Récamier ne se sont pas un instant démentis :

> « L'amour seul est resté, comme une grande image
> Survit seule au réveil dans un songe effacé... »
>     (Lamartine, « le Vallon », *Méditations poétiques,* 1820).

## « Acta est fabula » (1848)

« La pièce se termine » en effet pour Chateaubriand ; il meurt le 4 juillet 1848, après avoir été le spectateur des nouvelles convulsions révolutionnaires qui ont ébranlé la France et l'Europe au premier semestre de cette même année. Mais, depuis 1841, Chateaubriand a tourné le dos à ce monde qui le fuit et n'a laissé aucun écrit sur ces événements.

Le dernier miroir du « vieux René » ne lui est tendu par aucun des augures trompeurs qui lui ont tant de fois fait tourner la tête. Depuis l'île du Grand-Bé (à Saint-Malo) où il est enterré, c'est lui, dorénavant, qui projette son image, et celle de René, sur son époque.

Le tombeau de Chateaubriand à Saint-Malo.
Lithographie de F. Benoist (XIXᵉ siècle).

13

# Chateaubriand

| | voyage<br>en Amérique | | ministre<br>des Affaires étrangères | |
|---|---|---|---|---|
| 1768 | 1791 | | 1822 | 1848 |

Musset (1810-1857)

Victor Hugo (1802-1885)

Balzac (1799-1850)

Vigny (1797-1863)

Lamartine (1790-1869)

Stendhal (1783-1842)

Madame de Staël (1766-1817)

Goethe (1749-1832)

Ancien Régime
Louis XV
Louis XVI

Gouvernements
révolutionnaires

Consulat
(1799-1804)

Premier
Empire

Restauration
(1815-1830)

Monarchie
de Juillet
(1830-1848)

| 1789 | 1799 : coup d'état | 1830 : les |
|---|---|---|
| Révolution | Bonaparte 1er Consul | Trois Glorieuses |

# Pourquoi *René* ?

## Le projet initial

Tout comme *Atala,* son premier grand succès public de 1801, *René* fut d'abord conçu par Chateaubriand comme un récit, un épisode à insérer dans le grand « western » psychologique des *Natchez* (paru en 1826 seulement), dont il avait rapporté le projet, en 1792, de son voyage outre-Atlantique, avec un énorme paquet de notes. Mais le désarroi spirituel des années d'exil en Angleterre vint modifier le regard jeté par Chateaubriand sur le récit et sur sa propre jeunesse. Les esquisses de *René* semblent avoir été écrites au crayon dans le parc de Kensington, à Londres : il ne faut donc pas s'étonner de voir les analyses autobiographiques prendre le pas sur l'aspect « exotique » (voir p. 161) de l'œuvre.

## L'autobiographie

Rien de vraiment exotique, donc, dans l'œuvre qui prend alors forme. Ce qui compte, c'est de pourchasser les démons, les « délires » et le « vague des passions », qui ont longtemps tourmenté l'âme de l'écrivain. Dans l'*Essai sur les révolutions* publié à Londres en 1797, Chateaubriand écrivait lui-même : « Je l'ai aussi sentie, cette soif vague de quelque chose. Elle m'a traîné dans les solitudes muettes de l'Amérique. »

## La restauration de la foi

L'histoire de René a d'abord été publiée dans le *Génie du christianisme* où elle était intégrée à la manière d'un exemple

*Chactas en 1847,* caricature
de Chateaubriand par Mérimée (1803-1870).

venant à l'appui d'une démonstration. Ainsi, ce qui était, au départ, un mélange de catharsis (voir p. 159) à la manière du *Werther* de Goethe (1774) et d'exotisme conçu dans l'inspiration de Bernardin de Saint-Pierre (1737-1814), devient, inséré dans le *Génie du christianisme,* un exemple à la gloire des sublimes vérités et de l'aide supérieure apportées par la foi. Cette dimension d'apologie se double, par ailleurs, d'une portée politique. En effet, quand Chateaubriand publie ce texte pour la première fois (1802), il vient de rentrer en France, où le rétablissement de la paix civile s'accompagne d'une volonté de restauration de la foi par le Consulat.

Illustration du chapitre intitulé « Du vague des passions », *René* est le récit de la crise traversée par le héros éponyme (voir p. 161) avant son départ pour les Amériques. Le prétexte de cette « confession » est l'insistance de deux amis de René pour découvrir « par quel malheur un Européen bien né avait été conduit à l'étrange résolution de s'ensevelir dans les déserts de la Louisiane ». Une fois le récit de René terminé, l'un des deux auditeurs, religieux de son état (le père Souël), tire une conclusion sévère destinée à remettre le héros — s'il en est encore temps — dans le droit chemin : « La solitude est mauvaise à celui qui n'y vit pas avec Dieu. » L'autre témoin (Chactas) conclut par une petite fable qui conseille l'apaisement par l'adoption des « voies communes », par le retour, en fait, à une vie « normale » dans la société.

# Les personnages
# et le cadre du récit

## Des rives du Meschacebé
## aux landes de Bretagne

Le récit commence chez les Natchez, tribu indienne de Louisiane, installée sur les bords du Meschacebé (ancien nom du Mississippi). Un jeune Français dont on ne connaît que le prénom, René, est venu demander l'asile chez les Indiens et l'un de leurs sachems (chef civil, dans les tribus indiennes), Chactas, a accepté d'être son père adoptif.

Les Français ont pris possession de cette région d'Amérique en 1683 et la colonisent activement depuis 1702, après l'avoir baptisée « Louisiane » en l'honneur de Louis XIV. (Un siècle plus tard, en 1803, Bonaparte la cédera aux États-Unis.) Un des points d'appui français, le fort Rosalie, est installé non loin de la tribu des Natchez. Dans ce fort, accompagnant le corps expéditionnaire, se trouve un missionnaire jésuite, le père Souël. D'âge aussi respectable que Chactas, le père Souël jouit dans la petite colonie d'une grande autorité morale et il exerce, tout comme Chactas, un fort ascendant sur René.

À son arrivée chez les Natchez, celui-ci a accepté de prendre une épouse indienne, Céluta, la nièce de Chactas. René ne s'est toutefois résolu à l'épouser qu'après de multiples péripéties, qui occupent les douze livres du premier volume des *Natchez*. La conduite de René est étrange ; il semble fuir constamment sa jeune épouse pour se réfugier dans les bois. Un jour, il reçoit une mystérieuse lettre d'Europe et ses tourments paraissent redoubler. Pressé de questions, il finit par raconter aux deux vieillards le drame de sa jeunesse, en France.

## Amélie

Chateaubriand procède ainsi à un retour en arrière. Sous la fiction romanesque, le lecteur peut reconnaître les lieux (la Bretagne, Combourg) et l'atmosphère de la propre jeunesse de l'écrivain (voir p. 4), surtout avec l'apparition du personnage clef du drame, Amélie, sœur aînée de René.

Aussi romanesques l'un que l'autre, les deux adolescents fuient le monde des adultes pour s'enfermer dans une relation exclusive et fantasque, exaltée par une communion très vive avec la nature. De cet enfermement et de cette exaltation naîtront, presque fatalement, la crise et le drame.

## Huis clos

Resserrant l'intrigue et les personnages, limitant la narration romanesque dans des bornes chronologiques et géographiques précises, Chateaubriand présente dans *René* une sorte de « nouvelle » relativement brève qui est le récit d'une véritable descente aux Enfers. Le lecteur y franchit les cercles successifs d'un triple huis clos : huis clos de la confession qui met René sous le regard moral de Chactas et du père Souël ; huis clos de la relation passionnelle entre René et Amélie ; huis clos de la conscience personnelle de l'auteur qui cherche peut-être à exorciser ses vieux démons...

De l'un à l'autre de ces cercles concentriques résonnent des interférences ; des échos (souvenirs personnels de voyages, de lectures, etc.) se déploient aussi, donnant au texte la vibration particulière qui fut l'une des causes de son succès. Au-delà du drame révélé de René et d'Amélie, dépassant la tragédie suggérée de François René et de Lucile, l'auteur dégage — parfois malgré lui — les composantes profondes du mal de vivre de toute adolescence. Car le « mal du siècle » est en fait le mal de chaque siècle, voire le mal de chaque génération nouvelle (voir p. 102).

Chateaubriand en 1810.
Peinture de Girodet (1767-1824). Coll. privée.

# CHATEAUBRIAND

# René

texte paru
sous sa forme définitive
en 1805

# Préface[1]

*René,* qui accompagne *Atala* dans la présente édition[2], n'avait
point encore été imprimé à part. Je ne sais s'il continuera
d'obtenir la préférence que plusieurs personnes lui donnent
sur *Atala.* Il fait suite naturelle à cet épisode[3], dont il diffère
5 néanmoins par le style et par le ton. Ce sont à la vérité les
mêmes lieux et les mêmes personnages, mais ce sont d'autres
mœurs et un autre ordre de sentiments et d'idées. Pour toute
préface, je citerai encore les passages du *Génie du christianisme*
et de la *Défense*[4] qui se rapportent à *René.*

*Extrait du* Génie du christianisme, *II[e] partie, liv. III, chap.* IX,
intitulé : « Du vague des passions ».
10 « Il reste à parler d'un état de l'âme, qui, ce nous semble,
n'a pas encore été bien observé : c'est celui qui précède le
développement des grandes passions, lorsque toutes les

---

1. *Préface :* sont proposées ici les parties de la *Préface* figurant dans
l'édition de 1805 et consacrées plus spécialement à *René.* (Le passage
précédent traitait d'*Atala.*)
2. *Présente édition :* il s'agit de l'édition de 1805, où Chateaubriand
a réuni *Atala* et *René* et les présente séparément du *Génie du
christianisme.*
3. *Il fait suite naturelle à cet épisode :* comme *René,* qu'il précède,
*Atala* est une confession. Il s'agit du récit des tourments amoureux
de Chactas, celui-là même qui est devenu le père adoptif de René.
Chateaubriand a écrit et publié à part ce récit en 1801. Mais, dans
l'édition du *Génie du christianisme,* pour des raisons d'architecture
d'ensemble, *René* était au contraire placé avant *Atala.* Chateaubriand
rétablit donc en 1805 la chronologie romanesque normale.
4. *Défense :* contre les attaques des « voltairiens » comme
M.-J. Chénier et Benjamin Constant, aussi bien que des émigrés purs
et durs, Chateaubriand publia en 1803 une *Défense du Génie du
christianisme,* œuvre de polémique et d'explication.

facultés[1], jeunes, actives, entières, mais renfermées, ne se sont
exercées que sur elles-mêmes, sans but et sans objet. Plus les
15 peuples avancent en civilisation, plus cet état du vague des
passions augmente ; car il arrive alors une chose fort triste :
le grand nombre d'exemples qu'on a sous les yeux, la multitude
de livres qui traitent de l'homme et de ses sentiments, rendent
habile sans expérience. On est détrompé[2] sans avoir joui[3] ; il
20 reste encore des désirs, et l'on n'a plus d'illusions. L'imagination
est riche, abondante et merveilleuse, l'existence pauvre, sèche
et désenchantée. On habite, avec un cœur plein, un monde
vide ; et sans avoir usé de rien, on est désabusé de tout.

L'amertume que cet état de l'âme répand sur la vie, est
25 incroyable ; le cœur se retourne et se replie en cent manières,
pour employer des forces qu'il sent lui être inutiles. Les
anciens ont peu connu cette inquiétude secrète, cette aigreur
des passions étouffées qui fermentent toutes ensemble : une
grande existence politique[4], les jeux du gymnase[5] et du champ
30 de Mars[6], les affaires du forum[7] et de la place publique,
remplissaient tous leurs moments, et ne laissaient aucune
place aux ennuis[8] du cœur.

D'une autre part, ils n'étaient pas enclins aux exagérations,
aux espérances, aux craintes sans objet, à la mobilité des idées

---

1. *Facultés :* capacités morales, spirituelles et physiques de l'individu.
2. *Détrompé :* désabusé.
3. *Avoir joui :* avoir profité des joies de l'existence.
4. *Existence politique :* existence consacrée à la vie de la « cité »
(*polis* en grec).
5. *Jeux du gymnase :* entraînement sportif des jeunes Grecs, que l'on
pratiquait nu (*gumnos,* en grec). Cet usage passa ensuite à Rome.
6. *Champ de Mars :* vaste terrain aux abords immédiats de Rome, où
avaient lieu les exercices de préparation militaire, les revues et les
entraînements des troupes.
7. *Forum :* place du marché à Rome et dans les villes romaines où
se tenaient également les réunions politiques, les procès, etc.
8. *Ennuis :* à la fois tourments proches du désespoir et vertiges causés
par un désintérêt général.

35 et des sentiments, à la perpétuelle inconstance, qui n'est qu'un
dégoût constant : dispositions que nous acquérons dans la
société intime[1] des femmes. Les femmes, chez les peuples
modernes, indépendamment de la passion qu'elles inspirent,
influent encore sur tous les autres sentiments. Elles ont dans
40 leur existence un certain abandon[2] qu'elles font passer dans
la nôtre ; elles rendent notre caractère d'homme moins
décidé ; et nos passions, amollies par le mélange des leurs,
prennent à la fois quelque chose d'incertain et de tendre[3]. »

.......................................................................................[4]

« Il suffirait de joindre quelques infortunes à cet état
45 indéterminé des passions, pour qu'il pût servir de fond à un
drame admirable. Il est étonnant que les écrivains modernes
n'aient pas encore songé à peindre cette singulière position
de l'âme. Puisque nous manquons d'exemples, nous serait-il
permis de donner aux lecteurs un épisode extrait, comme
50 *Atala,* de nos anciens *Natchez*[5] ? C'est la vie de ce jeune René,
à qui Chactas a raconté son histoire, etc., etc.[6] »

*Extrait de la* Défense du Génie du christianisme.

« On a déjà fait remarquer la tendre sollicitude des critiques[7]
pour la pureté de la Religion ; on devait donc s'attendre

--------

1. *Société intime :* compagnie, fréquentation habituelle.
2. *Abandon :* mollesse, relâchement à la fois physique et moral.
3. *Tendre :* au sens moderne du mot, mais aussi au sens de « facilement
impressionnable », « influençable ».
4. Ici venaient, dans le *Génie du christianisme,* deux paragraphes que
Chateaubriand a omis de reprendre dans sa préface de 1805.
5. *Natchez :* épopée étonnante par son mélange de sensibilité et de
sadisme, consacrée par Chateaubriand à une tribu de Louisiane.
6. *Etc. :* ici commençait, dans l'édition de 1802 du *Génie du
christianisme,* l'épisode de René.
7. *Critiques :* « il s'agit ici des philosophes uniquement » (note de
Chateaubriand).

qu'ils se formaliseraient des deux épisodes[1] que l'auteur a
55 introduits dans son livre. Cette objection particulière rentre
dans la grande objection qu'ils ont opposée à tout l'ouvrage,
et elle se détruit par la réponse générale[2] qu'on y a faite plus
haut. Encore une fois, l'auteur a dû combattre des poèmes et
des romans impies[3], avec des poèmes et des romans pieux ;
60 il s'est couvert des mêmes armes dont il voyait l'ennemi
revêtu : c'était une conséquence naturelle et nécessaire du
genre d'apologie[4] qu'il avait choisi. Il a cherché à donner
l'exemple avec le précepte. Dans la partie théorique de son
ouvrage, il avait dit que la Religion embellit notre existence,
65 corrige les passions sans les éteindre, jette un intérêt singulier
sur tous les sujets où elle est employée ; il avait dit que sa
doctrine et son culte se mêlent merveilleusement aux émotions
du cœur et aux scènes de la nature ; qu'elle est enfin la seule
ressource dans les grands malheurs de la vie : il ne suffisait
70 pas d'avancer tout cela, il fallait encore le prouver. C'est ce
que l'auteur a essayé de faire dans les deux épisodes de son
livre. Ces épisodes étaient en outre une amorce préparée à
l'espèce de lecteurs pour qui l'ouvrage est spécialement écrit.
L'auteur avait-il donc si mal connu le cœur humain, lorsqu'il
75 a tendu ce piège innocent aux incrédules[5] ? Et n'est-il pas

---

1. *Des deux épisodes* : des deux récits, *Atala* et *René*.
2. *Réponse générale* : réponse qui porte sur le projet d'ensemble du
*Génie du christianisme* (voir p. 15-16).
3. *Des poèmes et des romans impies* : les œuvres littéraires antérieures
qui, selon Chateaubriand, ont contribué à affaiblir le sens moral de la
jeunesse en développant à plaisir les attraits de la solitude et des
passions, contre les enseignements de la religion.
4. *Apologie* : ici, texte présentant la défense d'une cause.
5. *Incrédules* : personnes qui ne croient pas aux vérités révélées de
la foi et de la religion chrétiennes.

probable que tel lecteur n'eût jamais ouvert le *Génie du christianisme*, s'il n'y avait cherché *René* et *Atala* ?

> *Sai che la corre il mondo dove più versi*
> *Delle sue dolcezze il lusinger parnasso,*
> 80 *E che'l vero, condito in molli versi,*
> *I più schivi alletando, ha persuaso*[1].

Tout ce qu'un critique impartial qui veut entrer dans l'esprit de l'ouvrage, était en droit d'exiger de l'auteur, c'est que les épisodes de cet ouvrage eussent une tendance visible à faire 85 aimer la Religion et à en démontrer l'utilité. Or, la nécessité des cloîtres[2] pour certains malheurs de la vie, et pour ceux-là même qui sont les plus grands, la puissance d'une religion qui peut seule fermer des plaies que tous les baumes[3] de la terre ne sauraient guérir, ne sont-elles pas invinciblement 90 prouvées dans l'histoire de René ? L'auteur y combat en outre le travers particulier des jeunes gens du siècle, le travers qui mène directement au suicide. C'est J.-J. Rousseau qui introduisit le premier parmi nous ces rêveries si désastreuses et si coupables[4]. En s'isolant des hommes, en s'abandonnant à ses 95 songes, il a fait croire à une foule de jeunes gens, qu'il est

---

1. *Sai che ... ha persuaso* : citation de *la Jérusalem délivrée* du Tasse, poète italien (1544 - 1595) : « Tu sais que le monde court là où se répandent le plus / Les douceurs de l'aimable Parnasse, / Et que le vrai, caché dans de tendres vers, / Séduisant les plus rétifs, (les) a persuadés. »

2. *La nécessité des cloîtres* : la nécessité de s'enfermer dans des monastères ou des couvents.

3. *Baumes* : remèdes.

4. De *la Nouvelle Héloïse* (1761) aux *Rêveries du promeneur solitaire* (1782, œuvre posthume) en passant par les *Confessions* (1782 - 1789, publiées également à titre posthume), Jean-Jacques Rousseau a été le premier en France à développer le genre de l'analyse des tourments intimes.

Portrait de Jean-Jacques Rousseau
par Quentin de La Tour (1704-1788).
Musée de Saint-Quentin.

beau de se jeter ainsi dans le vague de la vie. Le roman de
Werther[1] a développé depuis ce germe de poison. L'auteur
du *Génie du christianisme,* obligé de faire entrer dans le cadre
de son apologie quelques tableaux pour l'imagination, a voulu
100 dénoncer cette espèce de vice nouveau, et peindre les funestes
conséquences de l'amour outré[2] de la solitude. Les couvents
offraient autrefois des retraites à ces âmes contemplatives,
que la nature appelle impérieusement aux méditations. Elles
y trouvaient auprès de Dieu de quoi remplir le vide qu'elles
105 sentent en elles-mêmes, et souvent l'occasion d'exercer de
rares et sublimes vertus. Mais, depuis la destruction des
monastères et les progrès de l'incrédulité[3], on doit s'attendre
à voir se multiplier au milieu de la société (comme il est
arrivé en Angleterre), des espèces de solitaires tout à la fois
110 passionnés et philosophes, qui ne pouvant ni renoncer aux
vices du siècle, ni aimer ce siècle, prendront la haine des
hommes pour l'élévation du génie, renonceront à tout devoir
divin et humain, se nourriront à l'écart des plus vaines
chimères[4], et se plongeront de plus en plus dans une
115 misanthropie orgueilleuse qui les conduira à la folie, ou à la
mort.

Afin d'inspirer plus d'éloignement pour ces rêveries crimi-
nelles, l'auteur a pensé qu'il devait prendre la punition de
René dans le cercle de ces malheurs épouvantables, qui

---

1. *Werther* : héros éponyme (voir p. 161) d'un roman épistolaire
publié en 1774 par Johann Wolfgang von Goethe (1749 - 1832).
*Werther* raconte les souffrances amoureuses et le mal de vivre d'un
jeune homme qui finit par se donner la mort.
2. *Outré* : exagéré.
3. *Depuis ... incrédulité* : derrière cette longue périphrase (voir p. 163)
se cache la Révolution, source de tous les maux pour les royalistes
convaincus comme l'était Chateaubriand.
4. *Chimères* : inventions de l'esprit, utopies.

120   appartiennent moins à l'individu qu'à la famille de l'homme, et que les anciens attribuaient à la fatalité. L'auteur eût choisi le sujet de Phèdre[1] s'il n'eût été traité par Racine. Il ne restait que celui d'Érope et de Thyeste[2] chez les Grecs, ou d'Amnon et de Thamar[3] chez les Hébreux ; et bien qu'il ait été aussi

125   transporté sur notre scène[4], il est toutefois moins connu que celui de Phèdre. Peut-être aussi s'applique-t-il mieux aux caractères[5] que l'auteur a voulu peindre. En effet, les folles rêveries de René commencent le mal, et ses extravagances l'achèvent : par les premières, il égare l'imagination d'une

130   faible femme ; par les dernières, en voulant attenter à ses[6] jours, il oblige cette infortunée à se réunir à lui[7] ; ainsi le malheur naît du sujet, et la punition sort de la faute.

    Il ne restait qu'à sanctifier, par le christianisme, cette catastrophe empruntée à la fois de l'Antiquité païenne et de

---

1. *Phèdre* : l'auteur évoque ici l'amour incestueux de Phèdre pour son beau-fils Hippolyte, sujet de la tragédie de Racine (1677).
2. *Érope et Thyeste* : « Sen. *in Atr. et Th.* [Sénèque, *Atrée et Thyeste*] Voyez aussi Canacé et Macareus, et Caune et Byblis, dans *les Métamorphoses* et dans *les Héroïdes* d'Ovide. J'ai rejeté comme trop abominable le sujet de Myrra, qu'on retrouve encore dans celui de Loth et de ses filles » (note de Chateaubriand). Tous ces sujets, empruntés à l'Antiquité où à la Bible, traitent de l'inceste à divers degrés de parenté. Érope est la belle-sœur de Thyeste.
3. *Amnon et Thamar* : allusion à l'épisode de la Bible (II Samuel, XIII) dans lequel on voit Amnon, l'un des fils de David, faire violence à Thamar, sa demi-sœur. Il sera lui-même assassiné par Absalon, vrai frère de Thamar et demi-frère d'Amnon.
4. *Notre scène* : « dans l'*Abufar* de M. Ducis » (note de Chateaubriand). Allusion à la pièce de l'un des auteurs contemporains de Chateaubriand.
5. *Caractères* : personnages. Il s'agit en effet, dans *René*, d'un inceste fraternel (non réalisé).
6. *Ses* : adjectif possessif employé ici au sens « réfléchi » et renvoyant au sujet grammatical de la phrase (René).
7. *Se réunir à lui* : venir le retrouver.

135  l'Antiquité sacrée. L'auteur, même alors, n'eut pas tout à
faire ; car il trouve cette histoire presque naturalisée chrétienne[1]
dans une vieille ballade de pèlerin, que les paysans chantent
encore dans plusieurs provinces[2]. Ce n'est pas par les maximes
répandues dans un ouvrage, mais par l'impression que cet
140  ouvrage laisse au fond de l'âme, que l'on doit juger de sa
moralité. Or, la sorte d'épouvante et de mystère qui règne
dans l'épisode de René, serre et contriste[3] le cœur sans y
exciter d'émotion criminelle. Il ne faut pas perdre de vue
qu'Amélie meurt heureuse et guérie, et que René finit
145  misérablement. Ainsi, le vrai coupable est puni, tandis que sa
trop faible victime, remettant son âme blessée entre les mains
de celui qui retourne le malade sur sa couche[4], sent renaître
une joie ineffable[5] du fond même des tristesses de son cœur.
Au reste, le discours du père Souël[6] ne laisse aucun doute
150  sur le but et les moralités religieuses de l'histoire de René. »

On voit, par le chapitre cité du *Génie du christianisme*, quelle
espèce de passion nouvelle j'ai essayé de peindre ; et, par
l'extrait de la *Défense*, quel vice non encore attaqué j'ai voulu
combattre. J'ajouterai que, quant au style, René a été revu
155  avec autant de soin qu'*Atala*, et qu'il a reçu le degré de
perfection que je suis capable de lui donner.

---

1. *Naturalisée chrétienne* : passée dans l'univers moral de la chrétienté.
2. *Une vieille ... provinces* : « C'est le chevalier des Landes, /
Malheureux chevalier, etc. » (note de Chateaubriand). Allusion à une
ancienne chanson populaire qui évoque un cas de passion analogue.
3. *Contriste* : attriste violemment, profondément.
4. *Celui qui ... couche* : expression empruntée à la Bible et désignant
Dieu (par périphrase).
5. *Ineffable* : que les mots ne peuvent exprimer (sens étymologique).
6. *Le discours du père Souël* : allusion à la fin de *René* (voir p. 79-
80). Pour le père Souël, voir p. 17-18.

# René

En arrivant chez les Natchez, René avait été obligé de
prendre une épouse, pour se conformer aux mœurs des
Indiens ; mais il ne vivait point avec elle. Un penchant
mélancolique l'entraînait au fond des bois ; il y passait seul
5 des journées entières, et semblait sauvage parmi des Sauvages.
Hors Chactas, son père adoptif, et le père Souël, missionnaire
au fort Rosalie[1], il avait renoncé au commerce des hommes[2].
Ces deux vieillards avaient pris beaucoup d'empire sur son
cœur : le premier, par une indulgence aimable ; l'autre, au
10 contraire, par une extrême sévérité. Depuis la chasse du castor,
où le Sachem aveugle raconta ses aventures[3] à René, celui-ci
n'avait jamais voulu parler des siennes. Cependant Chactas et
le missionnaire désiraient vivement connaître par quel malheur
un Européen bien né[4] avait été conduit à l'étrange résolution
15 de s'ensevelir dans les déserts[5] de la Louisiane. René avait

---

1. *Fort Rosalie* : « colonie française aux Natchez » (note de
Chateaubriand). Il s'agissait d'un établissement fortifié, baptisé en
l'honneur de Mme de Pontchartrain, femme d'un homme politique
français important des XVIIe et XVIIIe siècles.
2. *Au commerce des hommes* : à la fréquentation des hommes.
3. *Le Sachem ... aventures* : du livre V au livre VIII des *Natchez,*
Chactas raconte à René « son séjour chez Lopez, sa captivité chez
les Siminoles, ses amours avec Atala, sa délivrance, sa fuite, l'orage,
la rencontre du père Aubry et la mort de la fille de Lopez » (*les
Natchez*, V). Le récit des *Natchez* prend en fait la suite d'*Atala*. Ainsi
Chateaubriand, « publicitaire » avisé de lui-même, multiplie-t-il les
citations de ses propres œuvres.
4. *Bien né* : de naissance noble.
5. *Désert* : contrée vaste et relativement peu peuplée (sens figuré).

toujours donné pour motifs de ses refus, le peu d'intérêt de son histoire qui se bornait, disait-il, à celle de ses pensées et de ses sentiments. « Quant à l'événement qui m'a déterminé à passer en Amérique, ajoutait-il, je le dois ensevelir dans un
20 éternel oubli. »

Quelques années s'écoulèrent de la sorte, sans que les deux vieillards lui pussent arracher son secret. Une lettre qu'il reçut d'Europe, par le bureau des Missions étrangères[1], redoubla tellement sa tristesse, qu'il fuyait jusqu'à ses vieux amis. Ils
25 n'en furent que plus ardents à le presser de leur ouvrir son cœur ; ils y mirent tant de discrétion, de douceur et d'autorité, qu'il fut enfin obligé de les satisfaire. Il prit donc jour[2] avec eux, pour leur raconter, non les aventures de sa vie, puisqu'il n'en avait point éprouvé, mais les sentiments secrets de son
30 âme.

Le 21 de ce mois que les Sauvages appellent « la lune des fleurs »[3], René se rendit à la cabane de Chactas. Il donna le bras au Sachem, et le conduisit sous un sassafras[4], au bord du Meschacebé[5]. Le père Souël ne tarda pas à arriver au
35 rendez-vous. L'aurore se levait : à quelque distance dans la plaine, on apercevait le village des Natchez, avec son bocage[6]

---

1. *Le bureau des Missions étrangères* : la société des Missions étrangères avait été fondée en 1651 pour évangéliser les terres non chrétiennes.
2. *Il prit donc jour* : il fixa donc rendez-vous.
3. *De ce mois ... des fleurs* : du mois de mai.
4. *Sassafras* : arbre de la famille du laurier qui pousse en Amérique et dont les feuilles sont employées comme condiment.
5. *Meschacebé* : nom indien du Mississippi chez certaines tribus qui habitaient les bords du fleuve (Creeks, Séminoles et Muscogulges entre autres). C'était pour d'autres le Namal-Sissippou, ou « rivière aux poissons ».
6. *Bocage* : ici, ensemble d'arbustes.

de mûriers, et ses cabanes qui ressemblent à des ruches d'abeilles. La colonie française et le fort Rosalie se montraient sur la droite, au bord du fleuve. Des tentes, des maisons à
40 moitié bâties, des forteresses commencées, des défrichements couverts de Nègres[1], des groupes de Blancs et d'Indiens, présentaient dans ce petit espace, le contraste des mœurs sociales et des mœurs sauvages. Vers l'orient, au fond de la perspective, le soleil commençait à paraître entre les sommets
45 brisés des Apalaches[2], qui se dessinaient comme des caractères

Les bords du Mississipi vers 1850.
Dessin de K. Bodmer (1809-1893).

1. *Nègres :* esclaves amenés par les colons français. (Le père de Chateaubriand avait fondé à Saint-Malo en 1757 une maison d'armement de navires pour la pêche, le commerce et la traite des Noirs.)
2. *Apalaches :* invention de Chateaubriand, puisqu'il est impossible d'apercevoir cette chaîne de montagnes depuis le territoire des Natchez. L'orthographe moderne est « Appalaches ».

d'azur, dans les hauteurs dorées du ciel ; à l'occident, le Meschacebé roulait ses ondes dans un silence magnifique, et formait la bordure du tableau avec une inconcevable grandeur.

Le jeune homme et le missionnaire admirèrent quelque
50  temps cette belle scène, en plaignant le Sachem qui ne pouvait plus en jouir ; ensuite le père Souël et Chactas s'assirent sur le gazon, au pied de l'arbre ; René prit sa place au milieu d'eux, et après un moment de silence, il parla de la sorte à ses vieux amis :

55  « Je ne puis, en commençant mon récit, me défendre d'un mouvement de honte. La paix de vos cœurs, respectables vieillards, et le calme de la nature autour de moi, me font rougir du trouble et de l'agitation de mon âme.

Combien vous aurez pitié de moi ! Que mes éternelles
60  inquiétudes vous paraîtront misérables ! Vous qui avez épuisé tous les chagrins de la vie, que penserez-vous d'un jeune homme sans force et sans vertu, qui trouve en lui-même son tourment, et ne peut guère se plaindre que des maux qu'il se fait à lui-même ? Hélas, ne le condamnez pas ; il a été
65  trop puni !

J'ai coûté la vie à ma mère en venant au monde ; j'ai été tiré de son sein avec le fer[1]. J'avais un frère que mon père bénit, parce qu'il voyait en lui son fils aîné. Pour moi, livré de bonne heure à des mains étrangères, je fus élevé loin du
70  toit paternel.

Mon humeur était impétueuse, mon caractère inégal. Tour à tour bruyant et joyeux, silencieux et triste, je rassemblais autour de moi mes jeunes compagnons ; puis, les abandonnant

---

1. *Le fer* : les forceps (utilisés lors des accouchements difficiles).

tout à coup, j'allais m'asseoir à l'écart, pour contempler la
75 nue fugitive[1], ou entendre la pluie tomber sur le feuillage.

Chaque automne, je revenais au château paternel, situé au
milieu des forêts, près d'un lac, dans une province reculée.

Timide et contraint[2] devant mon père, je ne trouvais l'aise
et le contentement qu'auprès de ma sœur Amélie. Une douce
80 conformité d'humeur et de goûts m'unissait étroitement à
cette sœur ; elle était un peu plus âgée que moi. Nous
aimions à gravir les coteaux ensemble, à voguer sur le lac, à
parcourir les bois à la chute des feuilles : promenades dont
le souvenir remplit encore mon âme de délices. Ô illusions
85 de l'enfance et de la patrie, ne perdez-vous jamais vos
douceurs !

Tantôt nous marchions en silence, prêtant l'oreille au sourd
mugissement de l'automne, ou au bruit des feuilles séchées
que nous traînions tristement sous nos pas ; tantôt, dans nos
90 jeux innocents, nous poursuivions l'hirondelle dans la prairie,
l'arc-en-ciel sur les collines pluvieuses ; quelquefois aussi nous
murmurions des vers que nous inspirait le spectacle de la
nature. Jeune, je cultivais les Muses[3] ; il n'y a rien de plus
poétique, dans la fraîcheur de ses passions, qu'un cœur de
95 seize années. Le matin de la vie est comme le matin du jour,
plein de pureté, d'images et d'harmonies.

Les dimanches et les jours de fête, j'ai souvent entendu,
dans le grand bois, à travers les arbres, les sons de la cloche
lointaine qui appelait au temple l'homme des champs. Appuyé

---

1. *La nue fugitive* : les nuages qui s'enfuient.
2. *Contraint* : gêné, mal à l'aise.
3. *Les Muses* : la poésie (sens figuré ; les Muses sont, dans la mythologie grecque, les déesses des Arts).

100   contre le tronc d'un ormeau, j'écoutais en silence le pieux
murmure. Chaque frémissement de l'airain[1] portait à mon
âme naïve l'innocence des mœurs champêtres, le calme de la
solitude, le charme de la religion, et la délectable mélancolie
des souvenirs de ma première enfance. Oh ! quel cœur si
105   mal fait n'a tressailli au bruit des cloches de son lieu natal,
de ces cloches qui frémirent de joie sur son berceau, qui
annoncèrent son avènement à la vie, qui marquèrent le premier
battement de son cœur, qui publièrent dans tous les lieux
d'alentour la sainte allégresse de son père, les douleurs et les
110   joies encore plus ineffables de sa mère ! Tout se trouve dans
les rêveries enchantées où nous plonge le bruit de la cloche
natale : religion, famille, patrie, et le berceau et la tombe, et
le passé et l'avenir.

    Il est vrai qu'Amélie et moi nous jouissions[2] plus que
115   personne de ces idées graves et tendres, car nous avions tous
les deux un peu de tristesse au fond du cœur : nous tenions
cela de Dieu ou de notre mère.

    Cependant mon père fut atteint d'une maladie qui le
conduisit en peu de jours au tombeau. Il expira dans mes
120   bras. J'appris à connaître la mort sur les lèvres de celui qui
m'avait donné la vie. Cette impression fut grande ; elle dure
encore. C'est la première fois que l'immortalité de l'âme s'est
présentée clairement à mes yeux[3]. Je ne pus croire que ce
corps inanimé était en moi l'auteur de la pensée : je sentis
125   qu'elle me devait venir d'une autre source ; et dans une sainte

---

1. *L'airain* : le bronze des cloches.
2. *Jouissions* : tirions plaisir.
3. *L'immortalité ... mes yeux* : l'idée de l'immortalité de l'âme m'est
apparue clairement à l'esprit.

douleur qui approchait de la joie, j'espérai me rejoindre un jour à l'esprit de mon père.

Un autre phénomène me confirma dans cette haute idée.
Les traits paternels avaient pris au cercueil quelque chose de
130 sublime. Pourquoi cet étonnant mystère ne serait-il pas l'indice de notre immortalité ? Pourquoi la mort, qui sait tout, n'aurait-elle pas gravé sur le front de sa victime les secrets d'un autre univers ? Pourquoi n'y aurait-il pas dans la tombe quelque grande vision de l'éternité ?

135 Amélie, accablée de douleur, était retirée au fond d'une tour, d'où elle entendit retentir, sous les voûtes du château gothique, le chant des prêtres du convoi[1], et les sons de la cloche funèbre.

J'accompagnai mon père à son dernier asile[2] ; la terre se
140 referma sur sa dépouille ; l'éternité et l'oubli le pressèrent de tout leur poids : le soir même l'indifférent passait sur sa tombe ; hors pour sa fille et pour son fils, c'était déjà comme s'il n'avait jamais été.

Il fallut quitter le toit paternel, devenu l'héritage de mon
145 frère : je me retirai avec Amélie chez de vieux parents.

Arrêté à l'entrée des voies trompeuses de la vie[3], je les considérais l'une après l'autre sans m'y oser engager. Amélie m'entretenait souvent du bonheur de la vie religieuse ; elle me disait que j'étais le seul lien qui la retînt dans le monde, et
150 ses yeux s'attachaient sur moi avec tristesse.

Le cœur ému par ces conversations pieuses, je portais

---

1. *Convoi :* cortège des funérailles.
2. *Son dernier asile :* sa dernière demeure, sa tombe.
3. *Voies trompeuses de la vie :* expression de style biblique (voir psaume XV, 11).

souvent mes pas vers un monastère voisin de mon nouveau séjour ; un moment même j'eus la tentation d'y cacher ma vie. Heureux ceux qui ont fini leur voyage sans avoir quitté
155 le port, et qui n'ont point, comme moi, traîné d'inutiles jours sur la terre !

Les Européens, incessamment agités, sont obligés de se bâtir des solitudes[1]. Plus notre cœur est tumultueux et bruyant, plus le calme et le silence nous attirent. Ces hospices[2] de
160 mon pays, ouverts aux malheureux et aux faibles, sont souvent cachés dans des vallons qui portent au cœur le vague sentiment de l'infortune et l'espérance d'un abri ; quelquefois aussi on les découvre sur de hauts sites où l'âme religieuse, comme une plante des montagnes, semble s'élever vers le ciel pour
165 lui offrir ses parfums.

Je vois encore le mélange majestueux des eaux et des bois de cette antique abbaye où je pensai dérober ma vie aux caprices du sort ; j'erre encore au déclin du jour dans ces cloîtres retentissants et solitaires. Lorsque la lune éclairait à
170 demi les piliers des arcades, et dessinait leur ombre sur le mur opposé, je m'arrêtais à contempler la croix qui marquait le champ de la mort, et les longues herbes qui croissaient entre les pierres des tombes. Ô hommes, qui ayant vécu loin du monde avez passé du silence de la vie au silence de la
175 mort, de quel dégoût de la terre vos tombeaux ne remplissaient-ils point mon cœur !

---

1. *Se bâtir des solitudes* : paraphrase du livre de Job (III. 14). Dans le texte biblique, ce terme de « solitudes » désigne des tombeaux édifiés dans les déserts, comme les pyramides. Ici, il s'agit des monastères.
2. *Hospices* : ici, refuges.

Soit inconstance naturelle, soit préjugé contre la vie monastique, je changeai mes desseins ; je me résolus à voyager. Je dis adieu à ma sœur ; elle me serra dans ses bras avec un
180 mouvement qui ressemblait à de la joie, comme si elle eût été heureuse de me quitter ; je ne pus me défendre d'une réflexion amère sur l'inconséquence[1] des amitiés humaines.

Cependant, plein d'ardeur, je m'élançai seul sur cet orageux océan du monde, dont je ne connaissais ni les ports, ni les
185 écueils. Je visitai d'abord les peuples qui ne sont plus : je m'en allai m'asseyant sur les débris[2] de Rome et de la Grèce, pays de forte et d'ingénieuse[3] mémoire, où les palais sont ensevelis dans la poudre[4], et les mausolées[5] des rois cachés sous les ronces. Force de la nature, et faiblesse de l'homme !
190 un brin d'herbe perce souvent le marbre le plus dur de ces tombeaux, que tous ces morts, si puissants, ne soulèveront jamais !

Quelquefois une haute colonne se montrait seule debout dans un désert, comme une grande pensée s'élève, par
195 intervalles, dans une âme que le temps et le malheur ont dévastée.

Je méditai sur ces monuments dans tous les accidents[6] et

---

1. *Inconséquence* : manque de suite dans les idées, inconstance.
2. *Débris* : ruines.
3. *Ingénieuse* : qui témoigne d'une grande qualité d'imagination, voire de génie naturel. Le terme s'applique à la Grèce.
4. *Poudre* : poussière.
5. *Mausolées* : monuments funéraires.
6. *Dans tous les accidents* : sous tous les éclairages. « Accident » est ici emprunté au vocabulaire de la critique picturale et désigne la lumière qui tombe sur les monuments (*accidere* = « tomber » en latin) et les éclaire de manière différente selon les heures de la journée.

*Ruines,* par Hubert Robert (1733-1808).
Plume, lavis et aquarelle. Musée de Valenciennes.

à toutes les heures de la journée. Tantôt ce même soleil qui
avait vu jeter les fondements de ces cités, se couchait
200 majestueusement, à mes yeux, sur leurs ruines ; tantôt la lune
se levant dans un ciel pur, entre deux urnes cinéraires[1] à
moitié brisées, me montrait les pâles tombeaux. Souvent aux
rayons de cet astre qui alimente les rêveries, j'ai cru voir le
Génie des souvenirs[2], assis tout pensif à mes côtés.

205      Mais je me lassai de fouiller dans des cercueils[3], où je ne
remuais trop souvent qu'une poussière criminelle.

Je voulus voir si les races vivantes m'offriraient plus de
vertus, ou moins de malheurs que les races évanouies. Comme
je me promenais un jour dans une grande cité, en passant
210 derrière un palais, dans une cour retirée et déserte, j'aperçus
une statue qui indiquait du doigt un lieu fameux par un
sacrifice[4]. Je fus frappé du silence de ces lieux ; le vent seul
gémissait autour du marbre tragique. Des manœuvres étaient
couchés avec indifférence au pied de la statue, ou taillaient
215 des pierres en sifflant. Je leur demandai ce que signifiait ce
monument : les uns purent à peine me le dire, les autres
ignoraient la catastrophe qu'il retraçait. Rien ne m'a plus

---

1. *Urnes cinéraires :* vases de céramique ou de pierre, destinés à
contenir les cendres des défunts dans l'Antiquité.
2. *Génie des souvenirs :* dans l'Antiquité, être mythologique et
surnaturel qui présidait à la destinée ; ici, personnification allégorique
(voir p. 158) d'une idée abstraite.
3. *Cercueils :* souvenirs des civilisations passées, défuntes (synecdoque, voir p. 164).
4. *Une statue ... un sacrifice :* « à Londres, derrière White Hall, la
statue de Charles II » (note de Chateaubriand). Il s'agit en fait de la
statue de Jacques II, élevée à l'endroit où Cromwell avait fait dresser
l'échafaud de Charles Ier, décapité en 1649.

donné la juste mesure des événements de la vie, et du peu
que nous sommes. Que sont devenus ces personnages qui
220 firent tant de bruit ? Le temps a fait un pas, et la face de la
terre a été renouvelée[1].

Je recherchai surtout dans mes voyages les artistes et ces
hommes divins qui chantent les dieux sur la lyre[2], et la
félicité[3] des peuples qui honorent les lois, la religion et les
225 tombeaux.

Ces chantres[4] sont de race divine, ils possèdent le seul
talent incontestable dont le ciel ait fait présent à la terre.
Leur vie est à la fois naïve et sublime ; ils célèbrent les dieux
avec une bouche d'or[5], et sont les plus simples des hommes ;
230 ils causent comme des immortels ou comme de petits
enfants ; ils expliquent les lois de l'univers, et ne peuvent
comprendre les affaires les plus innocentes de la vie ; ils ont
des idées merveilleuses de la mort, et meurent sans s'en
apercevoir, comme des nouveau-nés.

235 Sur les monts de la Calédonie[6], le dernier barde qu'on ait
ouï dans ces déserts me chanta les poèmes dont un héros
consolait jadis sa vieillesse. Nous étions assis sur quatre pierres
rongées de mousse ; un torrent coulait à nos pieds ; le

---

1. *La face ... renouvelée* : paraphrase biblique, ici inspirée du
psaume CIII, 30.
2. *Ces hommes ... lyre* : les poètes (périphrase faisant référence à
l'Antiquité).
3. *La félicité* : le bonheur envoyé par les dieux.
4. *Chantres* : poètes épiques ou lyriques.
5. *Avec une bouche d'or* : allusion classique et traduction française
du surnom « Chrysostome », donné à plusieurs poètes et Pères de
l'Église dans l'Antiquité. Le plus célèbre est saint Jean Chrysostome,
Père de l'Église grecque, évêque de Constantinople (v. 344 - 407).
6. *Calédonie* : ancien nom de l'Écosse.

chevreuil paissait à quelque distance parmi les débris d'une
240 tour, et le vent des mers sifflait sur la bruyère de Cona[1].
Maintenant la religion chrétienne, fille aussi des hautes
montagnes, a placé des croix sur les monuments[2] des héros
de Morven[3], et touché la harpe de David[4], au bord du même
torrent où Ossian[5] fit gémir la sienne. Aussi pacifique que les
245 divinités de Selma[6] étaient guerrières, elle garde des troupeaux
où Fingal livrait des combats, et elle a répandu des anges de
paix dans les nuages qu'habitaient des fantômes homicides[7].

L'ancienne et riante Italie m'offrit la foule de ses chefs-
d'œuvre. Avec quelle sainte et poétique horreur[8] j'errais dans
250 ces vastes édifices consacrés par les arts à la religion ! Quel

---

1. *Cona* : nom d'une vallée d'Écosse.
2. *Des croix sur les monuments* : allusion archéologique à la
christianisation de l'Écosse païenne aux VIIe et VIIIe siècles. Pour ne
pas trop choquer les populations locales, on se contenta d'ajouter
des croix au sommet des « pierres levées » (les menhirs) des cultes
antérieurs. La même chose s'est produite à plusieurs reprises en
Bretagne.
3. *Morven* : l'une des contrées de l'Écosse primitive.
4. *La harpe de David* : symbole de la Bible et de la religion révélée
par rapport aux cultes païens. David est célébré dans l'Ancien Testament
pour ses talents de poète et de musicien.
5. *Ossian* : barde écossais du IIIe siècle.
6. *Selma* : nom du palais de Fingal, roi écossais mythique de Morven
et père du barde Ossian, selon les ballades en langue gaélique que
l'écrivain James Macpherson publia en 1760, en prétendant qu'elles
étaient l'œuvre d'Ossian. La parution de cette supercherie littéraire
exerça du reste une énorme influence sur le développement du
mouvement romantique.
7. *Des fantômes homicides* : les fantômes des guerriers morts au
combat (souvenirs mélangés des poèmes d'Ossian et des tragédies
de Shakespeare).
8. *Horreur* : sentiment d'admiration mêlée de crainte et de respect
devant un spectacle inconnu et grandiose.

labyrinthe de colonnes ! Quelle succession d'arches et de
voûtes ! Qu'ils sont beaux ces bruits qu'on entend autour
des dômes[1], semblables aux rumeurs des flots dans l'Océan,
aux murmures des vents dans les forêts, ou à la voix de Dieu
255 dans son temple ! L'architecte bâtit, pour ainsi dire, les idées
du poète, et les fait toucher aux sens[2].

Cependant qu'avais-je appris jusqu'alors avec tant de
fatigue ? Rien de certain parmi les anciens, rien de beau
parmi les modernes. Le passé et le présent sont deux statues
260 incomplètes ; l'une a été retirée toute mutilée du débris des
âges ; l'autre n'a pas encore reçu sa perfection de l'avenir.

Mais peut-être, mes vieux amis, vous surtout, habitants du
désert, êtes-vous étonnés que, dans ce récit de mes voyages,
je ne vous aie pas une seule fois entretenus des monuments[3]
265 de la nature ?

Un jour, j'étais monté au sommet de l'Etna, volcan qui
brûle au milieu d'une île. Je vis le soleil se lever dans
l'immensité de l'horizon au-dessous de moi, la Sicile resserrée
comme un point à mes pieds, et la mer déroulée au loin
270 dans les espaces. Dans cette vue perpendiculaire[4] du tableau,
les fleuves ne me semblaient plus que des lignes géographiques
tracées sur une carte ; mais tandis que d'un côté mon œil
apercevait ces objets, de l'autre il plongeait dans le cratère de
l'Etna, dont je découvrais les entrailles brûlantes, entre les
275 bouffées d'une noire vapeur.

---

1. *Dômes* : cathédrales (par synecdoque, voir p. 164).
2. *Toucher aux sens* : constater, éprouver par les sens.
3. *Monuments* : œuvres imposantes par leur ampleur et qui durent à travers les siècles (sens figuré).
4. *Vue perpendiculaire* : vue verticale, vue d'en haut.

Un jeune homme plein de passions, assis sur la bouche d'un volcan, et pleurant sur les mortels dont à peine il voyait à ses pieds les demeures, n'est sans doute, ô vieillards, qu'un objet digne de votre pitié ; mais quoi que vous puissiez penser
280 de René, ce tableau vous offre l'image de son caractère et de son existence. C'est ainsi que toute ma vie j'ai eu devant les yeux une création à la fois immense et imperceptible, et un abîme ouvert à mes côtés. »

En prononçant ces derniers mots, René se tut et tomba
285 subitement dans la rêverie. Le père Souël le regardait avec étonnement, et le vieux Sachem aveugle, qui n'entendait plus parler le jeune homme, ne savait que penser de ce silence.

René avait les yeux attachés sur un groupe d'Indiens qui
290 passaient gaiement dans la plaine. Tout à coup sa physionomie s'attendrit, des larmes coulent de ses yeux, il s'écrie :

« Heureux Sauvages ! Oh ! que ne puis-je jouir de la paix qui vous accompagne toujours ! Tandis qu'avec si peu de fruit[1] je parcourais tant de contrées, vous, assis tranquillement
295 sous vos chênes, vous laissiez couler les jours sans les compter. Votre raison[2] n'était que vos besoins, et vous arriviez, mieux que moi, au résultat de la sagesse, comme l'enfant, entre les jeux et le sommeil. Si cette mélancolie qui s'engendre[3] de l'excès du bonheur atteignait quelquefois votre âme, bientôt

---

1. *Fruit* : profit.
2. *Raison* : terme ambigu qui peut signifier aussi bien ce qui permet aux hommes de juger et d'agir selon des principes de la connaissance naturelle opposée à la foi, que le principe d'explication grâce auquel on peut comprendre la venue d'un événement ou d'un objet nouveau.
3. *S'engendre* : naît spontanément.

300 vous sortiez de cette tristesse passagère, et votre regard levé
vers le ciel cherchait avec attendrissement ce je ne sais quoi
inconnu, qui prend pitié du pauvre Sauvage. »

Ici la voix de René expira de nouveau, et le jeune homme
pencha la tête sur sa poitrine. Chactas, étendant le bras dans
305 l'ombre, et prenant le bras de son fils, lui cria d'un ton
ému : « Mon fils ! mon cher fils ! » À ces accents, le frère
d'Amélie revenant à lui, et rougissant de son trouble, pria
son père de lui pardonner.

Alors le vieux Sauvage : « Mon jeune ami, les mouvements
310 d'un cœur comme le tien ne sauraient être égaux[1] ; modère
seulement ce caractère qui t'a déjà fait tant de mal. Si
tu souffres plus qu'un autre des choses de la vie, il ne faut
pas t'en étonner ; une grande âme doit contenir plus de
douleurs qu'une petite. Continue ton récit. Tu nous a fait
315 parcourir une partie de l'Europe, fais-nous connaître ta patrie.
Tu sais que j'ai vu la France, et quels liens m'y ont attaché[2] :
j'aimerai à entendre parler de ce grand Chef[3], qui n'est plus,
et dont j'ai visité la superbe cabane. Mon enfant, je ne
vis plus que par la mémoire. Un vieillard avec ses souvenirs
320 ressemble au chêne décrépit de nos bois : ce chêne ne se
décore plus de son propre feuillage, mais il couvre quelquefois
sa nudité des plantes étrangères qui ont végété sur ses antiques
rameaux. »

---

1. *Égaux :* mesurés et ordonnés.
2. *J'ai vu ... attaché :* évocation des voyages de Chactas que l'on
trouve dans les livres V à VII de la première partie des *Natchez.*
3. *Grand Chef :* « Louis XIV » (note de Chateaubriand). Chactas a
visité Versailles et Paris sous la conduite d'un gouverneur du Canada.

Le frère d'Amélie, calmé par ces paroles, reprit ainsi l'histoire
325 de son cœur :

« Hélas ! mon père, je ne pourrai t'entretenir de ce grand
siècle dont je n'ai vu que la fin dans mon enfance[1], et qui
n'était plus lorsque je rentrai dans ma patrie. Jamais un
changement plus étonnant et plus soudain ne s'est opéré chez
330 un peuple[2]. De la hauteur du génie, du respect pour la
religion, de la gravité des mœurs, tout était subitement
descendu à la souplesse de l'esprit[3], à l'impiété, à la corruption.

C'était donc bien vainement que j'avais espéré retrouver
dans mon pays de quoi calmer cette inquiétude, cette ardeur
335 de désir qui me suit partout. L'étude du monde ne m'avait
rien appris, et pourtant je n'avais plus la douceur de l'ignorance.

Ma sœur, par une conduite inexplicable, semblait se plaire
à augmenter mon ennui ; elle avait quitté Paris quelques jours
avant mon arrivée. Je lui écrivis que je comptais l'aller
340 rejoindre ; elle se hâta de me répondre pour me détourner
de ce projet, sous prétexte qu'elle était incertaine du lieu où
l'appelleraient ses affaires. Quelles tristes réflexions ne fis-je
point alors sur l'amitié, que la présence attiédit[4], que l'absence
efface, qui ne résiste point au malheur, et encore moins à la
345 prospérité !

---

1. *Ce grand siècle ... enfance* : l'apogée du régime monarchique
français, sous Louis XIV et ses successeurs.
2. *Un changement ... peuple* : longue périphrase développée pour
évoquer les Lumières et leurs conséquences catastrophiques (aux yeux
de Chateaubriand et des gens de son parti).
3. *Souplesse de l'esprit* : « flexibilité aux volontés d'autrui, adresse à
se plier aux circonstances » (Littré, *Dictionnaire de la langue française*,
1863 - 1873) ; opportunisme et bassesse spirituelle.
4. *Attiédit* : affaiblit, rend moins vive.

47

Je me trouvai bientôt plus isolé dans ma patrie que je ne l'avais été sur une terre étrangère. Je voulus me jeter pendant quelque temps dans un monde qui ne me disait rien et qui ne m'entendait[1] pas. Mon âme, qu'aucune passion n'avait
350 encore usée, cherchait un objet[2] qui pût l'attacher ; mais je m'aperçus que je donnais plus que je ne recevais. Ce n'était ni un langage élevé, ni un sentiment profond qu'on demandait de moi. Je n'étais occupé qu'à rapetisser ma vie, pour la mettre au niveau de la société. Traité partout d'esprit
355 romanesque, honteux du rôle que je jouais, dégoûté de plus en plus des choses et des hommes, je pris le parti de me retirer dans un faubourg pour y vivre totalement ignoré.

Je trouvai d'abord assez de plaisir dans cette vie obscure et indépendante. Inconnu, je me mêlais à la foule : vaste
360 désert d'hommes !

Souvent assis dans une église peu fréquentée, je passais des heures entières en méditation. Je voyais de pauvres femmes venir se prosterner devant le Très-Haut, ou des pécheurs s'agenouiller au tribunal de la pénitence[3]. Nul ne sortait de
365 ces lieux sans un visage plus serein, et les sourdes clameurs qu'on entendait au-dehors semblaient être les flots des passions et les orages du monde[4], qui venaient expirer au pied du temple du Seigneur. Grand Dieu, qui vis en secret couler mes larmes dans ces retraites sacrées[5], tu sais combien de fois je

---

1. *Entendait* : comprenait.
2. *Un objet* : une femme à aimer.
3. *Tribunal de la pénitence* : confessionnal (périphrase ; voir p. 163).
4. *Monde* : ici, vie profane (par opposition à vie monastique, religieuse).
5. *Retraites sacrées* : édifices religieux (par périphrase).

370 me jetai à tes pieds, pour te supplier de me décharger du
poids de l'existence, ou de changer en moi le vieil homme[1] !
Ah ! qui n'a senti quelquefois le besoin de se régénérer, de
se rajeunir aux eaux du torrent, de retremper son âme à la
fontaine de vie ? Qui ne se trouve quelquefois accablé du
375 fardeau de sa propre corruption, et incapable de rien faire de
grand, de noble, de juste ?

Quand le soir était venu, reprenant le chemin de ma
retraite[2], je m'arrêtais sur les ponts pour voir se coucher le
soleil. L'astre, enflammant les vapeurs de la cité, semblait
380 osciller lentement dans un fluide d'or, comme le pendule de
l'horloge des siècles. Je me retirais ensuite avec la nuit, à
travers un labyrinthe de rues solitaires. En regardant les
lumières qui brillaient dans la demeure des hommes, je me
transportais par la pensée au milieu des scènes de douleur et
385 de joie qu'elles éclairaient ; et je songeais que sous tant de
toits habités je n'avais pas un ami. Au milieu de mes réflexions,
l'heure venait frapper à coups mesurés dans la tour de la
cathédrale gothique ; elle allait se répétant sur tous les tons
et à toutes les distances d'église en église. Hélas ! chaque
390 heure dans la société ouvre un tombeau, et fait couler des
larmes.

Cette vie, qui m'avait d'abord enchanté, ne tarda pas à me
devenir insupportable. Je me fatiguai de la répétition des
mêmes scènes et des mêmes idées. Je me mis à sonder mon
395 cœur, à me demander ce que je désirais. Je ne le savais pas ;
mais je crus tout à coup que les bois me seraient délicieux.

---

1. *De ... homme* : de changer ce qu'il y avait de vieux en moi.
2. *De ma retraite* : du faubourg où René a décidé de vivre ignoré.

Me voilà soudain résolu d'achever, dans un exil champêtre, une carrière[1] à peine commencée, et dans laquelle j'avais déjà dévoré des siècles.

400 J'embrassai ce projet avec l'ardeur que je mets à tous mes desseins ; je partis précipitamment pour m'ensevelir dans une chaumière, comme j'étais parti autrefois pour faire le tour du monde.

On m'accuse d'avoir des goûts inconstants, de ne pouvoir
405 jouir longtemps de la même chimère, d'être la proie d'une imagination qui se hâte d'arriver au fond[2] de mes plaisirs, comme si elle était accablée de leur durée ; on m'accuse de passer[3] toujours le but que je puis atteindre : hélas ! je cherche seulement un bien inconnu, dont l'instinct[4] me poursuit. Est-
410 ce ma faute, si je trouve partout les bornes, si ce qui est fini n'a pour moi aucune valeur ? Cependant je sens que j'aime la monotonie des sentiments de la vie, et si j'avais encore la folie de croire au bonheur, je le chercherais dans l'habitude.

La solitude absolue, le spectacle de la nature, me plongèrent
415 bientôt dans un état presque impossible à décrire. Sans parents, sans amis, pour ainsi dire seul sur la terre, n'ayant point encore aimé, j'étais accablé d'une surabondance de vie. Quelquefois je rougissais subitement et je sentais couler dans mon cœur comme des ruisseaux d'une lave ardente ; quelquefois
420 je poussais des cris involontaires, et la nuit était également troublée de mes songes et de mes veilles. Il me manquait quelque chose pour remplir l'abîme de mon existence : je

---

1. *Une carrière* : le parcours d'une vie (latinisme).
2. *Au fond* : au terme, au bout.
3. *Passer* : dépasser, outrepasser.
4. *L'instinct* : la connaissance instinctive.

descendais dans la vallée, je m'élevais sur la montagne, appelant
de toute la force de mes désirs l'idéal objet d'une flamme
425 future[1] ; je l'embrassais[2] dans les vents ; je croyais l'entendre
dans les gémissements du fleuve : tout était ce fantôme
imaginaire, et les astres dans les cieux, et le principe même
de vie dans l'univers.

Toutefois cet état de calme et de trouble, d'indigence et
430 de richesse, n'était pas sans quelques charmes. Un jour je
m'étais amusé à effeuiller une branche de saule sur un
ruisseau, et à attacher une idée à chaque feuille que le courant
entraînait. Un roi qui craint de perdre sa couronne par une
révolution subite, ne ressent pas des angoisses plus vives que
435 les miennes, à chaque accident qui menaçait les débris de
mon rameau. Ô faiblesse des mortels ! Ô enfance du cœur
humain qui ne vieillit jamais ! Voilà donc à quel degré de
puérilité notre superbe[3] raison peut descendre ! Et encore est-
il vrai que bien des hommes attachent leur destinée à des
440 choses d'aussi peu de valeur que mes feuilles de saule.

Mais comment exprimer cette foule de sensations fugitives
que j'éprouvais dans mes promenades ? Les sons que rendent[4]
les passions dans le vide d'un cœur solitaire, ressemblent au
murmure que les vents et les eaux font entendre dans le
445 silence d'un désert : on en jouit, mais on ne peut les peindre.

L'automne me surprit au milieu de ces incertitudes : j'entrai
avec ravissement dans les mois des tempêtes. Tantôt j'aurais

---

1. *L'idéal ... future* : la compagne imaginaire que j'étais appelé à
aimer dans l'avenir.
2. *Je l'embrassais* : je la prenais dans mes bras (sens étymologique).
3. *Superbe* : fière, orgueilleuse.
4. *Rendent* : font entendre, émettent.

voulu être un de ces guerriers errant au milieu des vents, des
nuages et des fantômes ; tantôt j'enviais jusqu'au sort du
450 pâtre que je voyais réchauffer ses mains à l'humble feu de
broussailles qu'il avait allumé au coin d'un bois. J'écoutais
ses chants mélancoliques, qui me rappelaient que dans tout
pays, le chant naturel de l'homme est triste, lors même qu'il
exprime le bonheur. Notre cœur est un instrument incomplet,
455 une lyre[1] où il manque des cordes, et où nous sommes forcés
de rendre les accents de la joie sur le ton consacré aux
soupirs.

Le jour, je m'égarais sur de grandes bruyères terminées par
des forêts. Qu'il fallait peu de choses à ma rêverie ! une
460 feuille séchée que le vent chassait devant moi, une cabane
ont la fumée s'élevait dans la cime dépouillée des arbres, la
mousse qui tremblait au souffle du nord sur le tronc d'un
chêne, une roche écartée, un étang désert où le jonc flétri
murmurait ! Le clocher solitaire, s'élevant au loin dans la
465 vallée, a souvent attiré mes regards ; souvent j'ai suivi des
yeux les oiseaux de passage qui volaient au-dessus de ma tête.
Je me figurais les bords ignorés, les climats lointains où ils se
rendent ; j'aurais voulu être sur leurs ailes. Un secret instinct
me tourmentait[2] ; je sentais que je n'étais moi-même qu'un
470 voyageur[3] ; mais une voix du ciel semblait me dire : "Homme,
la saison de ta migration n'est pas encore venue ; attends

---

1. *Une lyre :* instrument de musique avec lequel les poètes de
l'Antiquité s'accompagnaient en déclamant leurs poèmes, devenu
ensuite le symbole même de la poésie.
2. *Tourmentait :* torturait, mettait au supplice (sens fort).
3. *Voyageur :* ce terme est à prendre au sens du mot allemand
*Wanderer,* qui désigne pour les romantiques l'homme en route pour
accomplir sa destinée terrestre.

*Voyage au-dessus des nuages.*
Peinture de C. D. Friedrich (1774-1840). Coll. privée.

que le vent de la mort se lève, alors tu déploieras ton vol vers ces régions inconnues que ton cœur demande."

"Levez-vous vite, orages désirés, qui devez emporter René
475 dans les espaces d'une autre vie[1]." Ainsi disant, je marchais à grands pas, le visage enflammé, le vent sifflant dans ma chevelure, ne sentant ni pluie ni frimas[2], enchanté, tourmenté, et comme possédé par le démon de mon cœur.

La nuit, lorsque l'aquilon[3] ébranlait ma chaumière, que les
480 pluies tombaient en torrent sur mon toit, qu'à travers ma fenêtre je voyais la lune sillonner les nuages amoncelés, comme un pâle vaisseau qui laboure les vagues, il me semblait que la vie redoublait au fond de mon cœur, que j'aurais eu la puissance de créer des mondes. Ah ! si j'avais pu faire partager
485 à une autre les transports[4] que j'éprouvais ! Ô Dieu ! si tu m'avais donné une femme selon mes désirs ; si, comme à notre premier père, tu m'eusses amené par la main une Ève tirée de moi-même[5]... Beauté céleste ! je me serais prosterné devant toi ; puis, te prenant dans mes bras, j'aurais prié
490 l'Éternel de te donner le reste de ma vie.

Hélas ! j'étais seul, seul sur la terre ! Une langueur[6] secrète s'emparait de mon corps. Ce dégoût de la vie que j'avais

---

1. « *Levez-vous ... vie* » : transposition assez proche d'une exclamation d'Ossian au chant I du poème de Fingal : « Levez-vous, ô vents orageux d'Érin [...] ; puissé-je mourir au milieu de la tempête, enlevé dans un nuage par les fantômes irrités des morts ! »
2. *Frimas* : brouillards givrants.
3. *L'aquilon* : le vent du nord.
4. *Transports* : mouvements de l'âme et du cœur.
5. *Une Ève .. moi-même* : allusion à la création d'Ève, tirée d'une côte d'Adam par Dieu (Genèse, II, 21-23).
6. *Langueur* : dépérissement, asthénie.

ressenti dès mon enfance revenait avec une force nouvelle.
Bientôt mon cœur ne fournit plus d'aliment à ma pensée, et
495 je ne m'apercevais de mon existence que par un profond
sentiment d'ennui.

Je luttai quelque temps contre mon mal, mais avec
indifférence et sans avoir la ferme résolution de le vaincre.
Enfin, ne pouvant trouver de remède à cette étrange blessure
500 de mon cœur, qui n'était nulle part et qui était partout, je
résolus de quitter la vie.

Prêtre du Très-Haut[1], qui m'entendez, pardonnez à un
malheureux que le ciel avait presque privé de la raison. J'étais
plein de religion, et je raisonnais en impie ; mon cœur aimait
505 Dieu, et mon esprit le méconnaissait ; ma conduite, mes discours,
mes sentiments, mes pensées, n'étaient que contradiction,
ténèbres, mensonges. Mais l'homme sait-il bien toujours ce
qu'il veut, est-il toujours sûr de ce qu'il pense ?

Tout m'échappait à la fois, l'amitié, le monde, la retraite.
510 J'avais essayé de tout, et tout m'avait été fatal. Repoussé par
la société, abandonné d'Amélie, quand la solitude vint à me
manquer, que me restait-il ? C'était la dernière planche sur
laquelle j'avais espéré me sauver, et je la sentais encore
s'enfoncer dans l'abîme !

515 Décidé que j'étais à me débarrasser du poids de la vie, je
résolus de mettre toute ma raison dans cet acte insensé. Rien
ne me pressait : je ne fixai point le moment du départ, afin
de savourer à longs traits les derniers moments de l'existence,

---

1. *Prêtre du Très-Haut* : cette apostrophe s'adresse au père Souël (le
Très-Haut désigne Dieu).

et de recueillir toutes mes forces, à l'exemple d'un ancien[1],
520 pour sentir mon âme s'échapper.

Cependant je crus nécessaire de prendre des arrangements[2]
concernant ma fortune, et je fus obligé d'écrire à Amélie. Il
m'échappa quelques plaintes sur son oubli, et je laissai sans
doute percer l'attendrissement qui surmontait peu à peu mon
525 cœur. Je m'imaginais pourtant avoir bien dissimulé mon
secret ; mais ma sœur, accoutumée à lire dans les replis de
mon âme, le devina sans peine. Elle fut alarmée du ton de
contrainte[3] qui régnait dans ma lettre, et de mes questions
sur des affaires dont je ne m'étais jamais occupé. Au lieu de
530 me répondre, elle me vint tout à coup surprendre.

Pour bien sentir quelle dut être dans la suite l'amertume
de ma douleur, et quels furent mes premiers transports en
revoyant Amélie, il faut vous figurer que c'était la seule
personne au monde que j'eusse aimée, que tous mes sentiments
535 se venaient confondre[4] en elle, avec la douceur des souvenirs
de mon enfance. Je reçus donc Amélie dans une sorte d'extase
de cœur. Il y avait si longtemps que je n'avais trouvé
quelqu'un qui m'entendît, et devant qui je pusse ouvrir mon
âme !

---

1. *Un ancien* : il s'agit du sénateur Canus Julius (condamné à mort
par l'empereur Caligula) dont Sénèque (Ier siècle apr. J.-C.) rapporte
les dernières paroles dans son traité *De tranquillitate animi* (XIV, 9).
Sauf à l'avoir lu lui-même dans le texte de Sénèque, Chateaubriand
emprunte ce souvenir historique à Montaigne qui donne, dans les
*Essais* (II, VI), une traduction du texte latin.
2. *Arrangements* : dispositions testamentaires.
3. *Contrainte* : gêne morale, malaise.
4. *Se venaient confondre* : l'inversion du pronom réfléchi est un
héritage du langage classique.

540 Amélie se jetant dans mes bras, me dit : "Ingrat, tu veux
mourir, et ta sœur existe ! Tu soupçonnes son cœur ! Ne
t'explique point, ne t'excuse point, je sais tout ; j'ai tout
compris, comme si j'avais été avec toi. Est-ce moi que l'on
trompe, moi, qui ai vu naître tes premiers sentiments ? Voilà
545 ton malheureux caractère, tes dégoûts, tes injustices. Jure,
tandis que je te presse sur mon cœur, jure que c'est la
dernière fois que tu te livreras à tes folies ; fais le serment
de ne jamais attenter à tes jours."

En prononçant ces mots, Amélie me regardait avec compassion
550 et tendresse, et couvrait mon front de ses baisers ; c'était
presque une mère, c'était quelque chose de plus tendre.
Hélas ! mon cœur se rouvrit à toutes les joies ; comme un
enfant, je ne demandais qu'à être consolé ; je cédai à l'empire[1]
d'Amélie ; elle exigea un serment solennel ; je le fis sans
555 hésiter, ne soupçonnant même pas que désormais je pusse
être malheureux.

Nous fûmes plus d'un mois à nous accoutumer à l'enchantement[2] d'être ensemble. Quand le matin, au lieu de me
trouver seul, j'entendais la voix de ma sœur, j'éprouvais un
560 tressaillement de joie et de bonheur. Amélie avait reçu de la
nature quelque chose de divin ; son âme avait les mêmes
grâces innocentes que son corps ; la douceur de ses sentiments
était infinie ; il n'y avait rien que de suave et d'un peu rêveur
dans son esprit ; on eût dit que son cœur, sa pensée et sa
565 voix soupiraient[3] comme de concert ; elle tenait de la femme

---

1. *Empire* : ascendant, influence.
2. *Enchantement* : au sens fort de « charme magique ».
3. *Soupiraient* : respiraient.

*Orpheline au cimetière* (1824),
par le peintre romantique Eugène Delacroix.
Musée du Louvre, Paris.

la timidité et l'amour, et de l'ange la pureté et la mélodie[1].

Le moment était venu où j'allais expier toutes mes inconséquences. Dans mon délire j'avais été jusqu'à désirer d'éprouver un malheur, pour avoir du moins un objet réel de souffrance : épouvantable souhait que Dieu, dans sa colère, a trop exaucé !

Que vais-je vous révéler, ô mes amis ! Voyez les pleurs qui coulent de mes yeux. Puis-je même... Il y a quelques jours, rien n'aurait pu m'arracher ce secret... À présent tout est fini !

Toutefois, ô vieillards, que cette histoire soit à jamais ensevelie dans le silence : souvenez-vous qu'elle n'a été racontée que sous l'arbre du désert.

L'hiver finissait, lorsque je m'aperçus qu'Amélie perdait le repos et la santé qu'elle commençait à me rendre. Elle maigrissait ; ses yeux se creusaient ; sa démarche était languissante, et sa voix troublée. Un jour, je la surpris tout en larmes au pied d'un crucifix. Le monde, la solitude, mon absence, ma présence, la nuit, le jour, tout l'alarmait. D'involontaires soupirs venaient expirer sur ses lèvres ; tantôt elle soutenait, sans se fatiguer, une longue course ; tantôt elle se traînait à peine ; elle prenait et laissait son ouvrage, ouvrait un livre sans pouvoir lire, commençait une phrase qu'elle n'achevait pas, fondait tout à coup en pleurs, et se retirait pour prier.

En vain je cherchais à découvrir son secret. Quand je l'interrogeais, en la pressant dans mes bras, elle me répondait, avec un sourire, qu'elle était comme moi, qu'elle ne savait pas ce qu'elle avait.

---

1. *Mélodie :* harmonie.

595 Trois mois se passèrent de la sorte, et son état devenait
pire chaque jour. Une correspondance mystérieuse me semblait
être la cause de ses larmes, car elle paraissait ou plus tranquille
ou plus émue, selon les lettres qu'elle recevait. Enfin, un
matin, l'heure à laquelle nous déjeunions ensemble étant
600 passée, je monte à son appartement ; je frappe ; on ne me
répond point ; j'entrouvre la porte, il n'y avait personne dans
la chambre. J'aperçois sur la cheminée un paquet à mon
adresse. Je le saisis en tremblant, je l'ouvre, et je lis cette
lettre, que je conserve pour m'ôter à l'avenir tout mouvement
605 de joie.

À RENÉ

"Le Ciel m'est témoin, mon frère, que je donnerais mille fois
ma vie pour vous épargner un moment de peine ; mais,
infortunée que je suis, je ne puis rien pour votre bonheur.
610 Vous me pardonnerez donc de m'être dérobée de chez vous
comme une coupable ; je n'aurais pu résister à vos prières,
et cependant il fallait partir... Mon Dieu, ayez pitié de moi !

Vous savez, René, que j'ai toujours eu du penchant pour
la vie religieuse ; il est temps que je mette à profit
615 les avertissements du Ciel. Pourquoi ai-je attendu si tard !
Dieu m'en punit. J'étais restée pour vous dans le monde...
Pardonnez, je suis toute troublée par le chagrin que j'ai de
vous quitter.

C'est à présent, mon cher frère, que je sens bien la nécessité
620 de ces asiles[1], contre lesquels je vous ai vu souvent vous

---

1. *Asiles :* refuges hors des atteintes du monde.

élever[1]. Il est des malheurs qui nous séparent pour toujours
des hommes ; que deviendraient alors de pauvres
infortunées !... Je suis persuadée que vous-même, mon frère,
vous trouveriez le repos dans ces retraites de la religion : la
625 terre n'offre rien qui soit digne de vous.

Je ne vous rappellerai point votre serment : je connais la
fidélité de votre parole. Vous l'avez juré, vous vivrez pour
moi. Y a-t-il rien de plus misérable que de songer sans cesse
à quitter la vie ? Pour un homme de votre caractère, il est
630 si aisé de mourir ! Croyez-en votre sœur, il est plus difficile
de vivre.

Mais, mon frère, sortez au plus vite de la solitude, qui ne
vous est pas bonne ; cherchez quelque occupation. Je sais
que vous riez amèrement de cette nécessité où l'on est en
635 France de prendre un état[2]. Ne méprisez pas tant l'expérience
et la sagesse de nos pères. Il vaut mieux, mon cher René,
ressembler un peu plus au commun des hommes, et avoir un
peu moins de malheur.

Peut-être trouveriez-vous dans le mariage un soulagement à
640 vos ennuis. Une femme, des enfants occuperaient vos jours.
Et quelle est la femme qui ne chercherait pas à vous rendre
heureux ! L'ardeur de votre âme, la beauté de votre génie,
votre air noble et passionné, ce regard fier et tendre, tout
vous assurerait de son amour et de sa fidélité. Ah ! avec

---

1. *Contre lesquels ... élever :* on trouve dans l'*Essai sur les révolutions*
(Deuxième partie, chap. XLVI et suivants) et dans les *Mémoires d'outre-
tombe* (II et III) — très atténuées — des idées assez voisines, qui ne
sont guère éloignées de certaines prises de position des philosophes
du XVIIIe siècle.
2. *Prendre un état :* choisir un métier, un établissement.

645 quelles délices ne te presserait-elle pas dans ses bras et sur
son cœur ! Comme tous ses regards, toutes ses pensées
seraient attachés sur toi pour prévenir tes moindres peines !
Elle serait tout amour, toute innocence devant toi ; tu croirais
retrouver une sœur.

650 Je pars pour le couvent de... Ce monastère, bâti au bord
de la mer, convient à la situation de mon âme. La nuit, du
fond de ma cellule, j'entendrai le murmure des flots qui
baignent les murs du couvent ; je songerai à ces promenades
que je faisais avec vous, au milieu des bois, alors que nous
655 croyions retrouver le bruit des mers dans la cime agitée des
pins. Aimable compagnon de mon enfance, est-ce que je ne
vous verrai plus ? À peine plus âgée que vous, je vous
balançais dans votre berceau ; souvent nous avons dormi
ensemble. Ah ! si un même tombeau nous réunissait un
660 jour ! Mais non : je dois dormir seule sous les marbres[1] glacés
de ce sanctuaire où reposent pour jamais ces filles qui n'ont
point aimé.

Je ne sais si vous pourrez lire ces lignes à demi effacées
par mes larmes. Après tout, mon ami, un peu plus tôt, un
665 peu plus tard, n'aurait-il pas fallu nous quitter ? Qu'ai-je
besoin de vous entretenir de l'incertitude et du peu de valeur
de la vie ? Vous vous rappelez le jeune M... qui fit naufrage
à l'Isle-de-France[2]. Quand vous reçûtes sa dernière lettre,

---

1. *Marbres* : dalles funéraires faites de marbre (métonymie, voir
p. 162).
2. *Le jeune ... Isle-de-France* : l'initiale varie entre M... et T... selon
les éditions. Les identifications proposées se réfèrent soit au frère de
Mme de Beaumont, future maîtresse de Chateaubriand, soit à un
cousin de l'auteur. « L'Isle-de-France » est l'ancien nom de l'île
Maurice, lieu du naufrage du *Saint-Géran* dans *Paul et Virginie*
(Bernardin de Saint-Pierre, 1788).

quelques mois après sa mort, sa dépouille terrestre n'existait
670 même plus, et l'instant où vous commenciez son deuil en
Europe était celui où on le finissait aux Indes. Qu'est-ce donc
que l'homme, dont la mémoire périt si vite ? Une partie de
ses amis ne peut apprendre sa mort, que l'autre n'en soit
déjà consolée ! Quoi, cher et trop cher René, mon souvenir
675 s'effacera-t-il si promptement de ton cœur ? Ô mon frère, si
je m'arrache à vous dans le temps, c'est pour n'être pas
séparée de vous dans l'éternité."

AMÉLIE.

P.-S. "Je joins ici l'acte de la donation de mes biens ;
680 j'espère que vous ne refuserez pas cette marque de mon
amitié."

La foudre qui fût tombée à mes pieds ne m'eût pas causé
plus d'effroi que cette lettre. Quel secret Amélie me cachait-
elle ? Qui la forçait si subitement à embrasser la vie
685 religieuse ? Ne m'avait-elle rattaché à l'existence par le charme
de l'amitié, que pour me délaisser tout à coup ? Oh !
pourquoi était-elle venue me détourner de mon dessein ! Un
mouvement de pitié l'avait rappelée auprès de moi, mais
bientôt fatiguée d'un pénible devoir, elle se hâte de quitter
690 un malheureux qui n'avait qu'elle sur la terre. On croit avoir
tout fait quand on a empêché un homme de mourir ! Telles
étaient mes plaintes. Puis faisant un retour sur moi-même :
"Ingrate Amélie, disais-je, si tu avais été à ma place, si, comme
moi, tu avais été perdue dans le vide de tes jours, ah ! tu
695 n'aurais pas été abandonnée de ton frère."
Cependant, quand je relisais la lettre, j'y trouvais je ne sais
quoi de si triste et de si tendre, que tout mon cœur se
fondait. Tout à coup il me vint une idée qui me donna

quelque espérance : je m'imaginai qu'Amélie avait peut-être
700 conçu une passion pour un homme qu'elle n'osait avouer. Ce
soupçon sembla m'expliquer sa mélancolie, sa correspondance
mystérieuse, et le ton passionné qui respirait dans sa lettre.
Je lui écrivis aussitôt pour la supplier de m'ouvrir son cœur.

Elle ne tarda pas à me répondre, mais sans me découvrir
705 son secret : elle me mandait seulement qu'elle avait obtenu
les dispenses du noviciat[1], et qu'elle allait prononcer ses vœux.

Je fus révolté de l'obstination d'Amélie, du mystère de ses
paroles, et de son peu de confiance en mon amitié.

Après avoir hésité un moment sur le parti que j'avais à
710 prendre, je résolus d'aller à B... pour faire un dernier effort
auprès de ma sœur. La terre où j'avais été élevé se trouvait
sur la route. Quand j'aperçus les bois où j'avais passé les
seuls moments heureux de ma vie, je ne pus retenir mes
larmes, et il me fut impossible de résister à la tentation de
715 leur dire un dernier adieu.

Mon frère aîné avait vendu l'héritage paternel, et le nouveau
propriétaire ne l'habitait pas. J'arrivai au château par la longue
avenue de sapins ; je traversai à pied les cours désertes ; je
m'arrêtai à regarder les fenêtres fermées ou demi-brisées, le
720 chardon qui croissait au pied des murs, les feuilles qui
jonchaient le seuil des portes, et ce perron solitaire où j'avais
vu si souvent mon père et ses fidèles serviteurs. Les marches
étaient déjà couvertes de mousse ; le violier[2] jaune croissait
entre leurs pierres déjointes et tremblantes. Un gardien inconnu

---

1. *Noviciat* : période probatoire de durée plus ou moins longue selon
les ordres (de 1 à 2 ans) avant la prononciation des vœux d'engagement
définitif des nonnes et des moines.
2. *Violier* : variété de fleur (giroflée).

Le château de Combourg où Chateaubriand
a passé son enfance. Gravure anonyme du XIX<sup>e</sup> siècle.

725 m'ouvrit brusquement les portes. J'hésitais à franchir le seuil ;
cet homme s'écria : "Eh bien !. allez-vous faire comme cette
étrangère qui vint ici il y a quelques jours ? Quand ce fut
pour entrer, elle s'évanouit, et je fus obligé de la reporter à
sa voiture." Il me fut aisé de reconnaître l'étrangère qui,
730 comme moi, était venue chercher dans ces lieux des pleurs
et des souvenirs !

Couvrant un moment mes yeux de mon mouchoir, j'entrai
sous le toit de mes ancêtres. Je parcourus les appartements
sonores où l'on n'entendait que le bruit de mes pas. Les
735 chambres étaient à peine éclairées par la faible lumière qui
pénétrait entre les volets fermés : je visitai celle où ma mère
avait perdu la vie en me mettant au monde, celle où se
retirait mon père, celle où j'avais dormi dans mon berceau,
celle enfin où l'amitié avait reçu mes premiers vœux dans le

740 sein d'une sœur[1]. Partout les salles étaient détendues[2], et
l'araignée filait sa toile dans les couches abandonnées. Je sortis
précipitamment de ces lieux, je m'en éloignai à grands pas,
sans oser tourner la tête. Qu'ils sont doux, mais qu'ils sont
rapides, les moments que les frères et les sœurs passent dans
745 leurs jeunes années, réunis sous l'aile de leurs vieux parents !
La famille de l'homme n'est que d'un jour ; le souffle de
Dieu la disperse comme une fumée. À peine le fils connaît-il
le père, le père le fils, le frère la sœur, la sœur le frère ! Le
chêne voit germer ses glands autour de lui ; il n'en est pas
750 ainsi des enfants des hommes !

En arrivant à B..., je me fis conduire au couvent ; je
demandai à parler à ma sœur. On me dit qu'elle ne recevait
personne. Je lui écrivis : elle me répondit que, sur le point
de se consacrer à Dieu, il ne lui était pas permis de donner
755 une pensée au monde ; que si je l'aimais, j'éviterais de
l'accabler de ma douleur. Elle ajoutait : "Cependant si votre
projet est de paraître à l'autel le jour de ma profession,
daignez m'y servir de père[3] ; ce rôle est le seul digne de
votre courage, le seul qui convienne à notre amitié et à mon
760 repos."

Cette froide fermeté qu'on opposait à l'ardeur de mon
amitié me jeta dans de violents transports. Tantôt j'étais près
de retourner sur mes pas ; tantôt je voulais rester, uniquement

---

1. *L'amitié ... sœur :* longue périphrase pour évoquer la naissance de
l'amour fraternel entre Amélie et René, vu du côté de ce dernier.
2. *Détendues :* privées de leurs tentures (tapisseries et rideaux).
3. *Servir de père :* pour le mariage mystique d'Amélie avec le Seigneur.
René remplira le rôle qu'aurait dû jouer leur père mort, à savoir, mener
sa sœur à l'autel et la donner à l'Époux.

pour troubler le sacrifice. L'enfer me suscitait jusqu'à la pensée
765 de me poignarder dans l'église, et de mêler mes derniers
soupirs aux vœux qui m'arrachaient ma sœur. La supérieure
du couvent me fit prévenir qu'on avait préparé un banc dans
le sanctuaire, et elle m'invitait à me rendre à la cérémonie
qui devait avoir lieu dès le lendemain.

770 　Au lever de l'aube, j'entendis le premier son des cloches…
Vers dix heures, dans une sorte d'agonie[1], je me traînai au
monastère. Rien ne peut plus être tragique quand on a assisté
à un pareil spectacle ; rien ne peut plus être douloureux
quand on y a survécu.

775 　Un peuple immense remplissait l'église. On me conduit au
banc du sanctuaire ; je me précipite à genoux sans presque
savoir où j'étais, ni à quoi j'étais résolu. Déjà le prêtre attendait
à l'autel ; tout à coup la grille mystérieuse[2] s'ouvre, et Amélie
s'avance, parée de toutes les pompes du monde[3]. Elle était si
780 belle, il y avait sur son visage quelque chose de si divin,
qu'elle excita un mouvement de surprise et d'admiration.
Vaincu par la glorieuse douleur de la sainte, abattu par les
grandeurs de la religion, tous mes projets de violence
s'évanouirent ; ma force m'abandonna ; je me sentis lié par
785 une main toute-puissante, et au lieu de blasphèmes[4] et de

---

1. *Agonie :* ultime combat intérieur. Ce mot évoque les souffrances
du Christ au mont des Oliviers avant d'accepter le sacrifice voulu par
Dieu.
2. *La grille mystérieuse :* la grille qui sépare l'église ou le sanctuaire
proprement dit de la « clôture » où se tiennent les nonnes.
3. *Les pompes du monde :* les habits et les ornements qui corres-
pondaient à son rang et à sa qualité.
4. *Blasphèmes :* paroles et actes qui insultent Dieu et la religion.

La cérémonie de la prise de voile.
Gravure de P. P. Choffard (d'après B. Garnier).
Illustration figurant dans l'édition de 1805 de *René*. B.N.

menaces, je ne trouvai dans mon cœur que de profondes adorations et les gémissements de l'humilité.

Amélie se place sous un dais[1]. Le sacrifice[2] commence à la lueur des flambeaux, au milieu des fleurs et des parfums, qui 790 devaient rendre l'holocauste[3] agréable. À l'offertoire[4], le prêtre se dépouilla de ses ornements, ne conserva qu'une tunique de lin, monta en chaire, et dans un discours simple et pathétique, peignit le bonheur de la vierge qui se consacre au Seigneur. Quand il prononça ces mots : "Elle a paru comme 795 l'encens qui se consume dans le feu[5]", un grand calme et des odeurs célestes semblèrent se répandre dans l'auditoire ; on se sentit comme à l'abri sous les ailes de la colombe mystique[6], et l'on eût cru voir les anges descendre sur l'autel et remonter vers les cieux avec des parfums et des couronnes.

800 Le prêtre achève son discours, reprend ses vêtements, continue le sacrifice. Amélie, soutenue de deux jeunes religieuses, se met à genoux sur la dernière marche de l'autel. On vient alors me chercher, pour remplir les fonctions paternelles. Au bruit de mes pas chancelants dans le sanctuaire, 805 Amélie est prête à défaillir. On me place à côté du prêtre, pour lui présenter les ciseaux. En ce moment je sens renaître

---

1. *Dais* : pièce d'étoffe ou de bois soutenue par des montants verticaux.
2. *Sacrifice* : messe d'ordination.
3. *Holocauste* : dans les religions polythéistes de l'Antiquité, ce terme désigne une cérémonie dans laquelle on « brûle entièrement » (sens étymologique de « holocauste ») l'animal sacrifié en l'honneur des dieux. Ici, par analogie, le terme évoque le don total de soi que fait Amélie aux volontés de l'Église.
4. *Offertoire* : moment de la messe où l'on consacre le pain et le vin.
5. *"Elle ... feu"* : citation de l'Ecclésiaste (L. 9).
6. *La colombe mystique* : symbole de la présence du Saint-Esprit dans la liturgie et l'iconographie catholiques.

mes transports ; ma fureur va éclater, quand Amélie, rappelant
son courage, me lance un regard où il y a tant de reproche
et de douleur, que j'en suis atterré. La religion triomphe. Ma
810  sœur profite de mon trouble ; elle avance hardiment la tête.
Sa superbe chevelure tombe de toutes parts sous le fer sacré[1],
une longue robe d'étamine[2] remplace pour elle les ornements
du siècle, sans la rendre moins touchante ; les ennuis de son
front[3] se cachent sous un bandeau de lin ; et le voile
815  mystérieux, double symbole de la virginité et de la religion,
accompagne sa tête dépouillée. Jamais elle n'avait paru si
belle. L'œil de la pénitente était attaché sur la poussière du
monde, et son âme était dans le ciel.

Cependant Amélie n'avait point encore prononcé ses
820  vœux ; et pour mourir au monde[4], il fallait qu'elle passât à
travers le tombeau[5]. Ma sœur se couche sur le marbre ; on
étend sur elle un drap mortuaire ; quatre flambeaux en
marquent les quatre coins. Le prêtre, l'étole[6] au cou, le livre
à la main, commence l'Office des morts ; de jeunes vierges
825  le continuent. Ô joies de la religion, que vous êtes grandes,
mais que vous êtes terribles ! On m'avait contraint de me

---

1. *Le fer sacré* : les ciseaux avec lesquels le prêtre coupe les cheveux
d'Amélie (métonymie, voir p. 162).
2. *Étamine* : petite étoffe souple faite avec de la laine peignée.
3. *Les ennuis de son front* : périphrase désignant la tonsure que l'on
vient d'infliger à Amélie.
4. *Mourir au monde* : renoncer définitivement à tout ce qui fait la vie
« normale » d'un être humain inséré parmi ses semblables.
5. *Passât à travers le tombeau* : mourût symboliquement ; passage et
mort symboliques qui traduisent le renoncement.
6. *Étole* : bande de tissu généralement ornée que le prêtre porte dans
l'exercice de ses fonctions liturgiques.

placer à genoux, près de ce lugubre appareil[1]. Tout à coup
un murmure confus sort de dessous le voile sépulcral[2] ; je
m'incline, et ces paroles épouvantables (que je fus seul à
830 entendre) viennent frapper mon oreille : "Dieu de miséricorde,
fais que je ne me relève jamais de cette couche funèbre, et
comble de tes biens un frère qui n'a point partagé ma
criminelle passion !"

À ces mots échappés du cercueil[3], l'affreuse vérité
835 m'éclaire ; ma raison s'égare, je me laisse tomber sur le linceul
de la mort, je presse ma sœur dans mes bras, je m'écrie :
"Chaste épouse de Jésus-Christ, reçois mes derniers
embrassements à travers les glaces du trépas et les profondeurs
de l'éternité, qui te séparent déjà de ton frère !"

840 Ce mouvement, ce cri, ces larmes, troublent la cérémonie :
le prêtre s'interrompt, les religieuses ferment la grille, la foule
s'agite et se presse vers l'autel ; on m'emporte sans connaissance.
Que je sus peu de gré à ceux qui me rappelèrent au jour[4] !
J'appris, en rouvrant les yeux, que le sacrifice était consommé[5],
845 et que ma sœur avait été saisie d'une fièvre ardente. Elle me
faisait prier de ne plus chercher à la voir. Ô misère de ma
vie ! une sœur craindre de parler à un frère, et un frère
craindre de faire entendre sa voix à une sœur ! Je sortis du
monastère comme de ce lieu d'expiation où des flammes nous

---

1. *Appareil* : dispositif « scénique » de la prise de voile.
2. *Voile sépulcral* : linceul symbolique dont on a recouvert Amélie
pour signifier sa « mort au monde ».
3. *Cercueil* : métonymie évoquant la mort symbolique d'Amélie.
4. *Me rappelèrent au jour* : me firent sortir de mon évanouissement,
revenir à moi.
5. *Le sacrifice était consommé* : la cérémonie était terminée.

850 préparent pour la vie céleste, où l'on a tout perdu comme aux enfers, hors l'espérance[1].

On peut trouver des forces dans son âme contre un malheur personnel ; mais devenir la cause involontaire du malheur d'un autre, cela est tout à fait insupportable. Éclairé sur les
855 maux de ma sœur, je me figurais ce qu'elle avait dû souffrir. Alors s'expliquèrent pour moi plusieurs choses que je n'avais pu comprendre : ce mélange de joie et de tristesse, qu'Amélie avait fait paraître au moment de mon départ pour mes voyages, le soin qu'elle prit de m'éviter à mon retour, et
860 cependant cette faiblesse[2] qui l'empêcha si longtemps d'entrer dans un monastère ; sans doute la fille malheureuse s'était flattée de guérir ! Ses projets de retraite[3], la dispense du noviciat, la disposition de ses biens en ma faveur, avaient apparemment produit cette correspondance secrète qui servit
865 à me tromper.

Ô mes amis, je sus donc ce que c'était que de verser des larmes pour un mal qui n'était point imaginaire ! Mes passions, si longtemps indéterminées, se précipitèrent sur cette première proie avec fureur. Je trouvai même une sorte de satisfaction
870 inattendue dans la plénitude de mon chagrin, et je m'aperçus, avec un secret mouvement de joie, que la douleur n'est pas une affection qu'on épuise comme le plaisir.

J'avais voulu quitter la terre avant l'ordre du Tout-

---

1. *Ce lieu ... l'espérance* : périphrase pour désigner le Purgatoire, où doivent se purifier les âmes qui ont échappé à l'enfer avant d'atteindre le paradis. Souvenir de Dante (*l'Enfer*, III, 9) et de la sinistre devise inscrite au fronton de la porte infernale : « Laissez toute espérance, vous qui entrez. »
2. *Faiblesse* : faiblesse morale, recul devant l'inéluctable.
3. *Retraite* : retraite religieuse.

Puissant ; c'était un grand crime : Dieu m'avait envoyé Amélie
875  à la fois pour me sauver et pour me punir. Ainsi, toute
pensée coupable, toute action criminelle entraîne après elle[1]
des désordres et des malheurs. Amélie me priait de vivre, et
je lui devais bien de ne pas aggraver ses maux. D'ailleurs
(chose étrange !) je n'avais plus envie de mourir depuis que
880  j'étais réellement malheureux. Mon chagrin était devenu une
occupation qui remplissait tous mes moments : tant mon
cœur est naturellement pétri d'ennui et de misère !

Je pris donc subitement une autre résolution ; je me
déterminai à quitter l'Europe, et à passer en Amérique.

885  On équipait, dans ce moment même, au port de B... une
flotte pour la Louisiane ; je m'arrangeai avec un des capitaines
de vaisseau ; je fis savoir mon projet à Amélie, et je m'occupai
de mon départ.

Ma sœur avait touché aux portes de la mort ; mais Dieu,
890  qui lui destinait la première palme des vierges[2], ne voulut pas
la rappeler si vite à lui ; son épreuve ici-bas fut prolongée.
Descendue une seconde fois dans la pénible carrière de la vie,
l'héroïne, courbée sous la croix[3], s'avança courageusement à
l'encontre[4] des douleurs, ne voyant plus que le triomphe dans
895  le combat, et dans l'excès des souffrances, l'excès de la gloire.

La vente du peu de bien qui me restait, et que je cédai à
mon frère, les longs préparatifs d'un convoi [5], les vents

---

1. *Après elle :* avec elle.
2. *Première ... vierges :* palme du martyre, symbole des félicités éternelles accordées en récompense des souffrances vécues sur la terre.
3. *La croix :* symbole de l'épreuve subie par Amélie.
4. *À l'encontre de :* à la rencontre de.
5. *Un convoi :* il s'agit de la flotte armée pour la Louisiane, évoquée
plus haut (voir l. 885-886).

René au pied du monastère.
Gravure de Le Barbier (XIX<sup>e</sup> siècle).
Bibliothèque nationale, Paris.

contraires, me retinrent longtemps dans le port. J'allais chaque
matin m'informer des nouvelles d'Amélie, et je revenais
900 toujours avec de nouveaux motifs d'admiration et de larmes.

J'errais sans cesse autour du monastère, bâti au bord de la
mer. J'apercevais souvent à une petite fenêtre grillée[1] qui
donnait sur une plage déserte, une religieuse assise dans une
attitude pensive ; elle rêvait à l'aspect de l'océan où apparaissait
905 quelque vaisseau, cinglant aux extrémités de la terre[2]. Plusieurs
fois, à la clarté de la lune, j'ai revu la même religieuse aux
barreaux de la même fenêtre : elle contemplait la mer, éclairée
par l'astre de la nuit, et semblait prêter l'oreille au bruit des
vagues qui se brisaient tristement sur des grèves solitaires.

910 Je crois encore entendre la cloche qui, pendant la nuit,
appelait les religieuses aux veilles et aux prières[3]. Tandis
qu'elle tintait avec lenteur, et que les vierges s'avançaient en
silence à l'autel du Tout-Puissant, je courais au monastère :
là, seul au pied des murs, j'écoutais dans une sainte extase
915 les derniers sons des cantiques, qui se mêlaient sous les voûtes
du temple au faible bruissement des flots.

Je ne sais comment toutes ces choses qui auraient dû
nourrir mes peines, en émoussaient au contraire l'aiguillon[4].
Mes larmes avaient moins d'amertume lorsque je les répandais
920 sur les rochers et parmi les vents. Mon chagrin même, par

---

1. *Grillée* : grillagée.
2. *Cinglant ... de la terre* : faisant voile, naviguant vers les extrémités
de la terre.
3. *Aux veilles et aux prières* : la vie nocturne des monastères est
partagée, comme leur vie diurne, par différents offices (complies,
matines, primes, etc.).
4. *En émoussaient ... l'aiguillon* : en atténuaient la cruauté.

sa nature extraordinaire[1], portait avec lui quelque remède : on jouit[2] de ce qui n'est pas commun, même quand cette chose est un malheur. J'en conçus presque l'espérance que ma sœur deviendrait à son tour moins misérable.

925     Une lettre que je reçus d'elle avant mon départ, sembla me confirmer dans ces idées. Amélie se plaignait tendrement de ma douleur, et m'assurait que le temps diminuait la sienne. "Je ne désespère pas de mon bonheur, me disait-elle. L'excès même du sacrifice, à présent que le sacrifice est consommé,

930 sert à me rendre quelque paix. La simplicité de mes compagnes, la pureté de leurs vœux, la régularité de leur vie, tout répand du baume[3] sur mes jours. Quand j'entends gronder les orages, et que l'oiseau de mer vient battre des ailes à ma fenêtre, moi, pauvre colombe du ciel, je songe au bonheur que j'ai

935 eu de trouver un abri contre la tempête[4]. C'est ici la sainte montagne, le sommet élevé d'où l'on entend les derniers bruits de la terre et les premiers concerts du ciel ; c'est ici que la religion trompe doucement une âme sensible : aux plus violentes amours elle substitue une sorte de chasteté

940 brûlante où l'amante et la vierge sont unies ; elle épure les soupirs ; elle change en une flamme incorruptible une flamme périssable ; elle mêle divinement son calme et son innocence à ce reste de trouble et de volupté d'un cœur qui cherche à se reposer, et d'une vie qui se retire."

---

1. *Extraordinaire* : à prendre ici très exactement au sens étymologique (René refuse de suivre une voie « ordinaire »).
2. *On jouit* : on tire parti de.
3. *Du baume* : l'apaisement physique et la consolation morale.
4. *Quand j'entends ... la tempête* : souvenir des premiers vers du livre II du poème de Lucrèce (98-55 av. J.-C.) *De natura rerum* (« De la nature »).

945     Je ne sais ce que le ciel me réserve, et s'il a voulu m'avertir
que les orages accompagneraient partout mes pas. L'ordre
était donné pour le départ de la flotte ; déjà plusieurs vaisseaux
avaient appareillé au baisser du soleil ; je m'étais arrangé pour
passer la dernière nuit à terre, afin d'écrire ma lettre d'adieux
950  à Amélie. Vers minuit, tandis que je m'occupe de ce soin[1],
et que je mouille mon papier de mes larmes, le bruit des
vents vient frapper mon oreille. J'écoute ; et au milieu de la
tempête, je distingue les coups de canon d'alarme[2], mêlés au
glas[3] de la cloche monastique. Je vole sur le rivage où tout
955  était désert, et où l'on n'entendait que le rugissement des
flots. Je m'assieds sur un rocher. D'un côté s'étendent les
vagues étincelantes, de l'autre les murs sombres du monastère
se perdent confusément dans les cieux. Une petite lumière
paraissait à la fenêtre grillée. Était-ce toi, ô mon Amélie, qui,
960  prosternée au pied du crucifix, priais le Dieu des orages
d'épargner ton malheureux frère ! La tempête sur les flots, le
calme dans ta retraite ; des hommes brisés sur des écueils,
au pied de l'asile que rien ne peut troubler ; l'infini de l'autre
côté du mur d'une cellule ; les fanaux[4] agités des vaisseaux,
965  le phare immobile du couvent ; l'incertitude des destinées du
navigateur, la vestale[5] connaissant dans un seul jour tous les

---

1. *Ce soin* : ce travail attentif.
2. *Canon d'alarme* : canon signalant que la mer est dangereuse.
3. *Glas* : sonnerie de cloche particulière signalant un deuil ou un grave danger.
4. *Fanaux* : lanternes utilisées sur les navires, pour la signalisation de nuit.
5. *Vestale* : dans l'Antiquité romaine, prêtresse vierge qui devait entretenir le feu sacré dans le temple de Vesta. Par analogie, le terme désigne ici la vierge consacrée à la religion.

jours futurs de sa vie ; d'une autre part, une âme telle que
la tienne, ô Amélie, orageuse comme l'océan ; un naufrage
plus affreux que celui du marinier : tout ce tableau est encore
970 profondément gravé dans ma mémoire[1]. Soleil de ce ciel
nouveau, maintenant témoin de mes larmes, écho du rivage
américain qui répétez les accents de René, ce fut le lendemain
de cette nuit terrible qu'appuyé sur le gaillard[2] de mon
vaisseau, je vis s'éloigner pour jamais ma terre natale ! Je
975 contemplai longtemps sur la côte les derniers balancements
des arbres de la patrie, et les faîtes[3] du monastère qui
s'abaissaient à l'horizon. »

Comme René achevait de raconter son histoire, il tira un
papier de son sein[4], et le donna au père Souël ; puis, se jetant
980 dans les bras de Chactas, et étouffant ses sanglots, il laissa
le temps au missionnaire de parcourir la lettre qu'il venait de
lui remettre.

Elle était de la Supérieure de... Elle contenait le récit des
derniers moments de la sœur Amélie de la Miséricorde[5], morte
985 victime de son zèle et de sa charité, en soignant ses compagnes
attaquées d'une maladie contagieuse. Toute la communauté
était inconsolable, et l'on y regardait Amélie comme une
sainte. La Supérieure ajoutait que depuis trente ans qu'elle
était à la tête de la maison, elle n'avait jamais vu de religieuse

---

1. *Tout ce tableau ... mémoire* : René est venu au monde par un jour
d'effroyable tempête. Nouvel orage, nouvelle naissance.
2. *Gaillard* : partie surélevée à l'avant ou (ici) à l'arrière d'un navire.
3. *Les faîtes* : les toits.
4. *De son sein* : qu'il tenait enfermé sur sa poitrine, dans son habit.
5. *Amélie de la Miséricorde* : il est d'usage, dans les monastères et
les couvents, de quitter son nom d'état civil pour prendre un « nom
de religion ».

990 d'une humeur aussi douce et aussi égale, ni qui fût plus contente d'avoir quitté les tribulations[1] du monde.

Chactas pressait René dans ses bras ; le vieillard pleurait.

« Mon enfant, dit-il à son fils, je voudrais que le père Aubry[2] fût ici ; il tirait du fond de son cœur je ne sais quelle 995 paix qui, en les calmant, ne semblait cependant point étrangère aux tempêtes ; c'était la lune dans une nuit orageuse ; les nuages errants ne peuvent l'emporter dans leur course ; pure et inaltérable, elle s'avance tranquille au-dessus d'eux. Hélas, pour moi, tout me trouble et m'entraîne ! »

1000 Jusqu'alors le père Souël, sans proférer une parole, avait écouté d'un air austère l'histoire de René. Il portait en secret un cœur compatissant, mais il montrait au-dehors un caractère inflexible ; la sensibilité du Sachem le fit sortir du silence :

« Rien, dit-il au frère d'Amélie, rien ne mérite, dans cette 1005 histoire, la pitié qu'on vous montre ici. Je vois un jeune homme entêté de chimères[3], à qui tout déplaît, et qui s'est soustrait aux charges de la société pour se livrer à d'inutiles rêveries. On n'est point, monsieur, un homme supérieur parce qu'on aperçoit le monde sous un jour odieux[4]. On ne hait 1010 les hommes et la vie, que faute de voir assez loin. Étendez un peu plus votre regard, et vous serez bientôt convaincu que tous ces maux dont vous vous plaignez sont de purs néants.

---

1. *Tribulations* : épreuves que l'homme doit traverser sur la terre. (vocabulaire de la piété chrétienne).
2. *Le père Aubry* : c'est, dans *Atala*, le missionnaire jésuite convertisseur des Indiens et protecteur des amours de Chactas et de la fille de Lopez, Atala. C'est une figure emblématique de la consolation apportée par la religion.
3. *Entêté de chimères* : attaché exclusivement à ses fantaisies.
4. *Sous un jour odieux* : sous des apparences haïssables.

Mais quelle honte de ne pouvoir songer au seul malheur réel de votre vie, sans être forcé de rougir ! Toute la pureté, toute
1015 la vertu, toute la religion, toutes les couronnes d'une sainte rendent à peine tolérable la seule idée de vos chagrins. Votre sœur a expié sa faute ; mais, s'il faut ici dire ma pensée, je crains que, par une épouvantable justice[1], un aveu sorti du sein de la tombe[2] n'ait troublé votre âme à son tour. Que
1020 faites-vous seul au fond des forêts où vous consumez[3] vos jours, négligeant tous vos devoirs ? Des saints, me direz-vous, se sont ensevelis dans les déserts ? Ils y étaient avec leurs larmes, et employaient à éteindre leurs passions le temps que vous perdez peut-être à allumer les vôtres. Jeune présomptueux
1025 qui avez cru que l'homme se peut suffire à lui-même ! La solitude est mauvaise à celui qui n'y vit pas avec Dieu ; elle redouble les puissances de l'âme, en même temps qu'elle leur ôte tout sujet pour s'exercer. Quiconque a reçu des forces doit les consacrer au service de ses semblables ; s'il les laisse
1030 inutiles, il en est d'abord puni par une secrète misère[4], et tôt ou tard le ciel lui envoie un châtiment effroyable. »

Troublé par ces paroles, René releva du sein de Chactas sa tête humiliée. Le Sachem aveugle se prit à sourire ; et ce sourire de la bouche, qui ne se mariait plus[5] à celui des yeux,
1035 avait quelque chose de mystérieux et de céleste.

« Mon fils, dit le vieil amant d'Atala, il nous parle sévèrement ; il corrige et le vieillard et le jeune homme, et il

---

1. *Une épouvantable justice* : une justice qui provoque la terreur.
2. *Du sein de la tombe* : voir note 3 p. 71.
3. *Consumez* : perdez complètement — et en vain.
4. *Une secrète misère* : un mal qui le ronge de l'intérieur.
5. *Ne se mariait plus* : ne correspondait plus.

a raison. Oui, il faut que tu renonces à cette vie extraordinaire
qui n'est pleine que de soucis ; il n'y a de bonheur que dans
1040 les voies communes.

Un jour le Meschacebé, encore assez près de sa source, se
lassa de n'être qu'un limpide ruisseau. Il demande des neiges
aux montagnes, des eaux aux torrents, des pluies aux tempêtes,
il franchit ses rives, et désole[1] ses bords charmants. L'orgueilleux
1045 ruisseau s'applaudit d'abord de sa puissance ; mais voyant
que tout devenait désert sur son passage ; qu'il coulait,
abandonné dans la solitude ; que ses eaux étaient toujours
troublées, il regretta l'humble lit que lui avait creusé la nature,
les oiseaux, les fleurs, les arbres et les ruisseaux, jadis modestes
1050 compagnons de son paisible cours. »

Chactas cessa de parler, et l'on entendit la voix du flamant
qui, retiré dans les roseaux du Meschacebé, annonçait un
orage pour le milieu du jour. Les trois amis reprirent la route
de leurs cabanes : René marchait en silence entre le missionnaire
1055 qui priait Dieu, et le Sachem aveugle qui cherchait sa route.
On dit que, pressé par les deux vieillards, il retourna chez
son épouse, mais sans y trouver le bonheur. Il périt peu de
temps après avec Chactas et le père Souël, dans le massacre
des Français et des Natchez à la Louisiane[2]. On montre encore
1060 un rocher où il allait s'asseoir au soleil couchant.

---

1. *Désole* : ravage.
2. La femme de René et sa fille échapperont à ce massacre, mais
Céluta se donnera la mort en se jetant dans les chutes du Niagara.

# Guide de lecture

## La Préface : François René explique *René*

La Préface de *René* n'en est pas véritablement une ; il s'agit plutôt, de l'aveu même de l'auteur, d'une compilation de citations. On peut y voir une ruse d'écrivain pour faire vendre ses précédents ouvrages et cet aspect de « promotion publicitaire » n'est pas absent de ces lignes. Mais on y trouve aussi des clefs d'interprétation pour approcher *René*.

### Les causes du malaise

1. Dans l'extrait du *Génie du christianisme,* Chateaubriand donne une explication générale du malaise de son héros. Vous analyserez et classerez les causes historiques, sociales et morales de « cet état du vague des passions ».

2. Quels sont le rôle et l'utilité de la référence à l'Antiquité ? Vous affinerez tout spécialement votre analyse — en restant au plus près du texte de Chateaubriand — à propos du rôle des femmes. Sous quel jour ambigu le futur « Enchanteur » se découvre-t-il ici ?

### Essai, roman ou autobiographie déguisée ?

3. Dans l'extrait de la *Défense du Génie du christianisme* (p. 24 à 30) l'auteur se défend avec vigueur contre l'accusation d'avoir créé des héros auxquels on s'intéresse bien qu'ils se situent en dehors (Chactas) ou en marge (René) de la religion. Vous étudierez, en vous référant très précisément au texte, les différents arguments qu'il emploie pour sa défense. Certains d'entre eux ne relèvent-ils pas du sophisme (voir p. 164) ou de la polémique « philosophique » à la mode du XVIIIe siècle ?

4. Contre l'esprit des philosophes français et contre le préromantisme allemand, Chateaubriand adopte une attitude moralisatrice très guindée. Vous éluciderez les diverses composantes de ce conservatisme nouvelle manière.

5. Dans la dernière partie de cet extrait de la *Défense,* Chateaubriand donne avec un luxe de détails les références littéraires et religieuses qui traitent de l'inceste. Pourquoi cette insistance, selon vous ?

6. Vous présenterez sous forme de commentaire composé une étude des deux derniers paragraphes de cet extrait, depuis « Afin d'inspirer plus d'éloignement... » jusqu'à « ... l'histoire de René » (l. 117 à 150). Vous pourrez vous intéresser plus spécialement à l'aspect d'apologie (voir p. 159) de ce passage.

# Exposition : sur les bords du Meschacebé (l. 1 à 54)

Chateaubriand commence classiquement par planter le décor à la fois « moral » et matériel de la confession de René. Le Rousseau de la « Cinquième Promenade » n'est pas loin, non plus que son disciple Bernardin de Saint-Pierre.

1. Étudiez la composition d'ensemble de ces deux pages et leur équilibre d'écriture.

## *L'art de la description*

2. En vous aidant du petit dictionnaire (voir p. 158), vous relèverez et commenterez quelques-unes des figures de style utilisées par Chateaubriand dans ces deux pages d'ouverture, ainsi que les diverses images qui émaillent les descriptions.

3. Vous présenterez en un commentaire composé le paragraphe consacré à la présentation des lieux : saison de l'année, moment de la journée, étagement des plans, etc. Quelle est l'utilité psychologique de cette présentation ?

## La dimension morale

4. Quels vous paraissent être, dans cette évocation, les rapports entre la nature et l'homme ? Vous justifierez toujours votre réponse par un recours précis au texte.

5. Sous quels aspects se présentent les deux futurs « témoins » du récit de René ? Comment se différencient-ils du héros ? Comment se répartissent entre eux les divers attributs de l'image du père ?

# Sous le signe de la mort (l. 55 à 176)

La confession de René devant Chactas et le père Souël est une sorte de « roman de formation » à la manière germanique (voir *Wilhelm Meister : les années d'apprentissage,* de Goethe, paru en 1795-1796). Elle commence donc normalement par le récit des enfances.

## Deux enfants sans mère

1. L'exorde (voir p. 161) du récit de René est un peu un début de plaidoyer dans lequel il cherche à attirer la bienveillance de ceux qu'il sent confusément devoir être ses juges. Vous montrerez comment la structure, le ton et le vocabulaire des deux premiers paragraphes (l. 55 à 65) y concourent.

2. Chateaubriand consacre ensuite deux longs paragraphes (l. 78 à 96) au souvenir de la sœur adorée et de leur enfance. Dans le cadre d'un commentaire composé, vous examinerez l'atmosphère et la composition de ces deux paragraphes, le mouvement et les images employés.

3. Quels sont les éléments essentiels de l'éveil littéraire de René ?

4. Un paragraphe encore plus long (l. 97 à 113) évoque le son des cloches et leur signification. Il pourra faire l'objet d'un commentaire oral où vous dégagerez d'abord la tonalité

générale et la composition du passage. Vous repérerez ensuite, au cours d'une analyse de détail, quelques uns des procédés stylistiques de l'auteur (goût des images parfois abstraites, rythmes ternaires ou quaternaires, etc.).

## La tentation de la religion

La mort du père est, pour Amélie et René, l'occasion de méditations profondes sur le sens de la vie et sur leur avenir personnel : que faire, pour ces orphelins dépouillés par le droit d'aînesse ?

5. Quelles sont les ressemblances et les différences entre les réactions d'Amélie et celles de René face à la mort de leur père ?

6. Les deux premiers paragraphes de ce passage (l. 118 à 127) sont à proprement parler une méditation sur la mort où passent le souvenir et le souffle de Bossuet (1627-1704). Vous en dégagerez le mouvement et les idées, depuis la réalité matérielle du trépas jusqu'aux spéculations métaphysiques.

7. Les trois derniers paragraphes du passage (l. 151 à 176) expriment la tentation de la fuite à l'écart du monde. Vous présenterez, sous forme de commentaire composé, une étude de cette nouvelle « méditation », en examinant particulièrement les diverses étapes spirituelles de cette « conduite de fuite » qui va du désir du refuge au désir de mort.

## La malédiction du héros romantique

8. Le héros romantique est un héros maudit par le destin. Vous relèverez dans l'ensemble du passage les manifestations successives de la malédiction qui s'abat sur René et Amélie.

9. De quelle manière Chateaubriand souligne-t-il le poids de la fatalité ? Vous analyserez en particulier le vocabulaire qui concourt à cet effet et noterez l'utilisation de l'asyndète (voir p. 159). En vous référant au texte, vous expliquerez comment ce procédé, ici, donne le sentiment d'un destin contre lequel on ne peut rien.

# Les voyages (l. 177 à 283)

### « *Amer savoir, celui qu'on tire du voyage !* »

En proie à l'irrésolution « existentielle », René quitte Amélie et part voyager, en quête de réponses à ses inquiétudes. C'est un double voyage, à la fois dans le temps et dans l'espace.

1. La méditation sur les ruines des empires écroulés deviendra bientôt l'un des points de passage obligés (un *topos*) du romantisme. Vous montrerez, en citant le texte, comment Chateaubriand met en place les éléments essentiels de ce *topos* : sens de la mise en scène, opposition de l'homme éphémère et de la nature invincible, sentiment de la faiblesse humaine (au sens pascalien du terme).

2. Après avoir constaté le néant de sa quête auprès des souvenirs des Anciens, René se tourne vers les Modernes. C'est pour s'apercevoir que l'histoire balbutie souvent. Vous analyserez les étapes par lesquelles le héros arrive à la même conclusion que précédemment, ou peu s'en faut.

3. Relevez et classez les comparaisons, les images et les symboles (voir p. 164) dont Chateaubriand a jalonné cet épisode où René relate ses voyages. Quelle impression s'en dégage-t-il ?

### *La quête du moi dans le monde*

4. Relevez et classez les idées essentielles de cette tentative d'identification du moi à travers l'expérience du monde.

5. La poésie épique et lyrique fournit à René un nouveau regard sur le monde. Vous analyserez la présentation des poètes depuis « Je recherchai surtout... » jusqu'à « ... comme des nouveau-nés » (l. 222 à 234). En vous appuyant sur des exemples tirés du texte, comparez la définition que René donne des poètes à ce que l'on sait déjà de son caractère.

6. Au cours des lignes 262 à 283 René, se projette finalement dans la nature et prend directement à témoin les auditeurs de

sa confession. Vous analyserez comment Chateaubriand procède techniquement pour disposer sa description afin d'en
faire jaillir le symbole qui clôt cette première partie de la
confession de René.

## Intermède (l. 284 à 323)

### Le mythe du bon sauvage ?

L'évocation de « René sur la bouche de l'Etna » est un temps
fort de la confession, suivi par un silence temporaire du héros
qui nous ramène sur les rives du Mississippi. C'est pour mieux
opposer aux poisons morbides de la civilisation — et même
de l'excès de civilisation — la simplicité et la droiture de
« l'état de nature ».

1. En une première exclamation qui a les allures d'une élégie
(voir p. 160), René clame le bonheur des « heureux
Sauvages » et, implicitement, son propre malheur. Analysez
cette présentation (composition, idées développées, ton) que
vous pourrez comparer au mythe du « bon sauvage » tel
qu'on le trouve dans le *Discours sur l'origine de l'inégalité* (1753)
de Rousseau.

2. Le discours apaisant de Chactas à René (l. 309 à 323) est
une illustration mineure du même thème : Chactas a été
emmené par traîtrise en France mais il a été délivré du bagne
et ne garde que les bons souvenirs de ce temps d'exil loin
de sa patrie. Vous montrerez comment la composition même
du bref discours de l'Indien contient cette leçon de grandeur,
que vient couronner l'image finale.

## Retour en France (l. 324 à 391)

### Le « vaste désert du monde »

René reprend sa confession pour évoquer les bouleversements
politiques que traverse la France, puis décrit l'étrange compor-

tement d'Amélie, et enfin sa solitude au milieu des hommes.

1. Chateaubriand évoque rapidement les bouleversements subis par la France (l. 326 à 332). Vous caractériserez le ton et les idées de cette allusion.

2. Les retrouvailles avec Amélie (l. 337 à 345) ne sont pas ce que René en attendait : « ficelle » romanesque de la part de Chateaubriand, cette déception a un double effet psychologique sur René. Vous en montrerez la portée en vous référant aux lignes 179 à 182.

3. L'essentiel du passage est voué à l'analyse des rapports qu'entretient René avec les hommes et de l'enfermement spirituel progressif du héros. Vous dégagerez les principales étapes de ce processus de dégradation interne au long des trois évocations successives : tentative de contacts, méditation religieuse, isolement renforcé.

4. Vous étudierez, dans les lignes 346 à 357, le vocabulaire employé par René pour suggérer les rapports amicaux et amoureux auxquels il essaie de se consacrer par décision — et non par goût.

## Orgueil et solitude chez le héros romantique

5. Dans le même passage (l. 346 à 357), vous relèverez les éléments qui font de cette confession un plaidoyer. Tout en battant sa coulpe, René ne s'arrange-t-il pas pour se donner le beau rôle ? Justifiez votre réponse.

6. Quel spectacle provoque chez René le désir de recourir une fois encore au soutien de la religion ? Qu'en attend-il ? Citez le texte à l'appui de votre réponse.

7. Le dernier tableau (l. 377 à 391) est celui de la déréliction (sentiment d'abandon, de solitude morale). Du coucher du soleil — symbolique — à la plainte finale, vous commenterez cette évocation en vous attachant à montrer le va-et-vient permanent entre la description proprement dite et son contrepoint moral.

# Les « orages désirés » : l'exaltation du héros romantique (l. 392 à 520)

Cet épisode est l'un des points culminants de l'œuvre et l'un des plus connus. René, fuyant la société des hommes, court s'enfuir dans la campagne, au sein de la nature. C'est l'extase, puis l'appel à la mort.

## La fuite en avant

1. Vous examinerez, dans les trois premiers paragraphes du passage (l. 392 à 413), l'aspect de fuite en avant et le plaidoyer que révèle le récit du héros.

2. Sous quelle forme s'expriment particulièrement les contradictions intimes de René, dans le troisième paragraphe ?

3. Chateaubriand évoque dans les *Mémoires d'outre-tombe* (III, 10) son idéal féminin, dont il emprunte le nom à Rousseau (*Confessions,* XI) : la « Sylphide ». Vous analyserez les divers éléments qui composent cette fantasmagorie érotique de jeune homme, en vous référant précisément au texte du paragraphe compris entre les lignes 414 et 428.

## Le vertige

4. Privé de réalité, exilé des hommes comme de lui-même et de son désir, René est ensuite renvoyé par la nuit à sa solitude et à son néant. Vous présenterez un commentaire composé des lignes 479 à 496, en montrant, par exemple, comment l'approfondissement de la douleur — véritable descente aux Enfers — multiplie les barrières qui empêchent le héros de sortir de lui-même.

5. Analysez le rôle de la nature dans le malaise de René depuis la ligne 392 jusqu'à la ligne 496.

6. La fin du passage (l. 497 à 520) touche le fond du désespoir et présente la nudité morale du héros qui se prépare à affronter l'éternité de la mort et de la damnation. Vous analyserez dans ces quatre derniers paragraphes les éléments

de la « marche au supplice », qui peut évoquer le quatrième mouvement de la *Symphonie fantastique* de Berlioz.

## Composition et images

7. Les paragraphes compris entre les lignes 429 et 445 partent d'une expérience enfantine pour s'élever à une méditation sur la destinée humaine et sur les passions. Vous montrerez par quel enchaînement d'images se fait le passage. Quelle tonalité nouvelle se fait jour ici dans le vertige de René ?

8. Les trois paragraphes suivants (l. 446 à 478) constituent le morceau d'anthologie le plus cité de l'œuvre de Chateaubriand. Vous vous attacherez à en dégager l'atmosphère prenante qui évolue très vite, en relation avec la composition d'ensemble. Vous suivrez précisément les étapes rapides et les images qui se succèdent et conduisent René des « incertitudes » à l'appel du néant.

9. Sur l'ensemble de l'épisode, vous étudierez le rythme imprimé par l'auteur (changements de tempo, etc.) et les images récurrentes (voir p. 163) qui propulsent ce rythme.

# Coups de théâtre (l. 521 à 681)

## Au bord du gouffre : retour d'Amélie

Le passage relatant le retour d'Amélie a valeur de rémission dans la course à l'abîme de René. Sur le point de mettre fin à ses jours, il éveille les soupçons d'Amélie en lui écrivant « pour affaires ». Mais l'arrivée de la sœur bien-aimée est le prélude d'un nouveau drame...

1. Après une « introduction » qui explique les raisons de la venue inopinée d'Amélie, la première moitié du passage (l. 531 à 566) est un long chant d'ivresse à l'amour retrouvé. Vous en examinerez l'architecture d'ensemble et les différents mouvements ; vous caractériserez la tonalité en analysant le

vocabulaire employé par René pour décrire ces retrouvailles impromptues.

2. Comparez la figure d'Amélie telle qu'elle se présente ici avec le portrait que Chateaubriand fera de Lucile dans les *Mémoires d'outre-tombe* (III, 6 et 8).

3. La deuxième moitié du passage (l. 577 à 605) annonce, par contraste, l'imminence d'une catastrophe. Vous montrerez l'enchaînement d'images et d'idées par lesquelles René suggère puis fait grandir le sentiment d'angoisse chez ses auditeurs. Examinez aussi de ce point de vue la tournure des phrases et le style employés par l'auteur.

4. Comparez le portrait d'Amélie languissante avec celui que Racine trace de Phèdre (*Phèdre,* acte I, sc. 3).

## La lettre d'Amélie : demi-mots et demi-silences...

Au moment où René semble devoir guérir de ses hantises grâce à la présence de sa sœur, celle-ci se dérobe, poussée par une mystérieuse contrainte morale qu'elle tente d'expliquer dans une lettre à son frère.

5. Vous étudierez la composition d'ensemble de la lettre : son architecture, les tons successifs, l'enchaînement des émotions et des arguments.

6. Passions, religion et mort : l'atmosphère de la première partie de la lettre évoque un peu celle de *Dom Juan.* Vous comparerez les paroles d'Amélie (l. 607 à 638) à celles de Done Elvire dans la pièce de Molière (*Dom Juan,* acte IV, sc. 6).

7. Dans le passage clef de cette lettre, Amélie évoque pour son frère la possibilité du mariage (l. 639 à 649). Le mal mystérieux de l'héroïne rappelle celui de Phèdre ; vous rapprocherez, dans cette perspective, les paroles d'Amélie et l'aveu célèbre de l'épouse de Thésée (*Phèdre,* acte II, sc. 5) : description parallèle d'Hippolyte et de René, passage du « vous » au « tu » au moment où la passion semble l'emporter.

8. Le tutoiement reviendra une dernière fois dans la fin de la lettre ; vous commenterez ce retour et son contexte.

9. Vous présenterez un commentaire composé des deux derniers paragraphes de la lettre (l. 650 à 677) en insistant sur l'extraordinaire puissance visuelle et passionnelle des images évoquées par Amélie.

### La technique romanesque de la lettre dans René

10. À plusieurs reprises (p. 60, 66 et 77), Chateaubriand utilise la lettre comme ressource romanesque. Vous essaierez de voir l'effet produit sur le tempo romanesque et la psychologie des héros. Gardez aussi à l'esprit que le « roman par lettres » a été l'une des ressources littéraires favorites du XVIIIe siècle.

## La désespérance (l. 682 à 851)

### Le « retour au désert »

La lettre d'Amélie, que René peut-être ne peut pas comprendre, déchaîne davantage d'angoisses et de doutes qu'elle n'en résout. C'est, pour le héros, le retour à l'enfermement dans un « moi » sans issue.

1. À l'aide des variantes (voir p. 116-117), vous examinerez de près le travail d'élaboration littéraire effectué par Chateaubriand entre les éditions de 1802-1804 et celle de 1805 : resserrement du récit par l'ellipse des détails, jeu intellectuel de l'auteur avec son lecteur, souci de « bienséance », etc.

2. De la ligne 711 à la ligne 750, René évoque sa dernière visite au « toit paternel ». Vous analyserez la composition et l'atmosphère de ce passage, puis vous repérerez la structure ternaire qui permet à l'auteur de passer de la description à la méditation. Vous vous attacherez ensuite à commenter le lyrisme (voir p. 162) et les images de cet émouvant « adieu à l'enfance ».

## Le masque et le voile : la descente aux Enfers

Après les « orages désirés », la prise de voile d'Amélie est le deuxième point culminant du livre. La sœur de René révèle, malgré elle, à son frère l'origine du drame passionnel qui les a meurtris tous les deux.

3. Si la cérémonie de prise de voile est un thème littéraire assez répandu dans les romans du XVIIIe et du début du XIXe siècle, la description terrible de René, en y mêlant la mort et la passion amoureuse, y ajoute quelque chose de véritablement « satanique ». Vous commenterez de ce point de vue les lignes 761 à 766.

4. Le paroxysme de ces pages étonnamment « frénétiques » est le moment de la révélation involontaire d'Amélie suivie de la réaction désespérée de René (l. 819 à 851). Classez et analysez les éléments de ce passage en fonction des thèmes mis en avant par Chateaubriand : pulsions passionnelles et érotiques, religion vécue sur le mode de l'oblation (offrande de soi, sacrifice), omniprésence de la mort sous les voiles de divers symboles, rôle de la société et du monde environnants.

5. C'est au moment même où les amants impossibles sont enfin clairs l'un pour l'autre qu'ils sont à jamais séparés. Vous chercherez dans la littérature médiévale d'une part, dans celle du XVIIIe siècle d'autre part, les associations et les contrepoints que cette situation proprement tragique peut vous suggérer.

## Dire l'indicible

6. Ce que René doit raconter ici est proprement « indicible » en termes clairs. Relevez, sur l'ensemble de l'épisode de la cérémonie, les divers procédés de l'allusion, de la métaphore et de la périphrase.

7. Vous étudierez l'ensemble du champ lexical (voir p. 159) de ces pages et vous en dégagerez les dénotations et les connotations (voir p. 160) les plus évidentes.

# Au cœur des tempêtes (l. 852 à 977)

La révélation de la scène du couvent est suivie d'un long et douloureux retour sur le passé : René revoit et réinterprète tous les moments de sa vie avec Amélie et ruine ainsi ses souvenirs les plus chers par le poison du doute et du remords. Il ne reste plus qu'à partir...

## L'introspection

1. Vous distinguerez tout d'abord les thèmes qui se chevauchent et s'imbriquent tout au long de ce passage.

2. Les trois premiers paragraphes du passage (l. 852 à 882) sont presque exclusivement consacrés à une introspection (voir p. 162) douloureuse du héros, sorte de confession psychanalytique devant Chactas et le père Souël. Retrouvez dans le texte les principales étapes de cette découverte de soi-même, en vous attachant plus particulièrement aux bouleversements paradoxaux qu'entraîne la découverte d'un malheur irrémédiable (l. 869 à 872 notamment).

3. Quel rôle René attribue-t-il à la religion ? Justifiez votre réponse par une analyse précise du vocabulaire employé par René lorsqu'il évoque Dieu et la religion.

4. Relevez et classez les différents éléments de la « table rase » réalisée par René dans ce retour sur lui-même.

5. La contemplation du monastère d'Amélie est à la fois, pour René, source de douleur et d'apaisement. Vous analyserez les divers aspects de ce mouvement de va-et-vient et le « travail de deuil » qui se fait peu à peu vis-à-vis de ce qui doit devenir un passé révolu.

## La tempête, symbole de la destinée romantique

6. La tempête qui précède le départ est l'heure de vérité de la re-naissance à une nouvelle vie. Vous présenterez un commentaire composé de ce passage testament : c'est, en effet, la dernière fois que René parle et les « orages désirés »

se sont « levés » bien au-delà des espérances... Vous pourrez évoquer en contrepoint les autres « tempêtes » de l'ouvrage.

## Épilogue : bilan moral (l. 978 à 1060)

La fin de la confession de René est ponctuée par une lettre (qui évoque les derniers instants d'Amélie) et par trois discours : une diatribe (voir p. 160) du père Souël encadrée par deux brefs propos de Chactas.

1. Quel est l'intérêt du récit relaté par la supérieure du couvent dans sa lettre ?

2. Chactas semble avoir compris le caractère incurable des tourments de René, son fils adoptif. De quelle manière, dans son premier discours (l. 993 à 999), montre-t-il qu'il est impuissant à consoler René ? Comment lui exprime-t-il, cependant, sa sympathie ? Analysez en particulier son choix et son utilisation de la métaphore (voir p. 162).

3. La compassion manifestée par Chactas déclenche la réprobation morale du père Souël, qui se traduit par une violente mercuriale (voir p. 162). Après en avoir précisé la tonalité générale et la composition, vous en ferez le commentaire de détail en dégageant les arguments employés par le religieux. Vous montrerez, en particulier, comment il joue à la fois de l'autorité de la religion et de la perspicacité psychologique.

4. Les dernières paroles que l'on entend dans *René* sont celles du curieux apologue (voir p. 159) de Chactas. Vous essaierez d'en discerner les diverses interprétations possibles : religieuse, morale, sociale et même politique si l'on songe à la date de publication du *Génie,* contemporaine des « grandes manœuvres » bonapartistes de l'an X.

## L'ensemble de l'œuvre

1. Chateaubriand termine souvent ses développements par une vision qui « immobilise » un instant le cours des choses,

véritable « cliché » avant la lettre. Vous relèverez les plus remarquables et analyserez les procédés par lesquels l'auteur amène ces points d'orgue dans son récit.

2. Relevez et classez les principaux procédés stylistiques utilisés par Chateaubriand dans *René*.

3. Étude d'ensemble du lyrisme (voir p. 162) dans *René*.

4. Les nombreuses descriptions et évocations du texte sont émaillées d'adjectifs. Vous en étudierez l'utilisation et la pertinence narrative.

5. Chactas et le père Souël incarnent deux aspects antithétiques de la « paternité ». En reprenant l'œuvre depuis le début, vous essaierez de préciser les avatars de la figure du père dans *René*.

# Documentation thématique

# Index des thèmes principaux de *René*

Ambiguïté des sentiments : l. 180-182, 337-342, 857-861.

Amour : l. 416-428, 484-486, 532-534, 549-556, 566, 645-649, 661-662, 939-943.

Châtiment divin : (préface) l. 118, 132, 145 ; (texte) l. 64-65, 503, 569-571, 616, 875, 1018, 1030-1031.

Correspondance : l. 22, 522, 596-598, 602-604, 683, 696, 703, 753, 925, 949, 977-981.

Dégoût de la vie : (préface) l. 20-27, 36 ; (texte) l. 4, 59-64, 155, 175, 333-336, 351-356, 393, 437-440, 491-496, 991.

Désir et tentation : (préface) l. 20 ; (texte) l. 153, 335, 395, 396, 406, 424, 448, 468, 473-475, 486, 553, 568, 714, 761.

Douleur et torture morale : (préface) l. 25, 27-28 ; (texte) l. 60-63, 111, 126, 135, 311-314, 334-335, 374, 384, 434-435, 457, 523, 532, 570, 579-590, 617-618, 674-677, 682-692, 756, 771, 773, 782, 805, 809, 842-851, 855, 866-882, 894, 920, 927, 940.

Exaltation des sentiments : (préface) l. 21, 92-94, 108-116 ; (texte) l. 232-234, 249, 276-283, 313, 369-376, 400-403, 417, 442-449, 474-478, 484, 509-514, 532, 536, 557, 568, 762-766, 771-774, 867-872, 914.

Exotisme, couleur locale : l. 5-7, 10, 15, 31-48, 884, 1041, 1051-1052, 1059.

Expérience : (préface) l. 17-19 ; (texte) l. 56-61, 635, 1036-1038, 1041-1055.

Famille : l. 105-113, 743-750.

Femme : (préface) l. 33-43 ; (texte) l. 117, 424, 484-489, 550-551, 565-566.

Honte : l. 55-58, 355, 572-575, 1013.

Illusions : (préface) l. 95 ; (texte) l. 84-86, 93-96, 1012.

Inceste et tentation : (préface) l. 119-132, 141-146 ; (texte) l. 18, 549-554, 579-590, 645-649, 830-839, 854-862, 1013, 1017-1019.

Larmes, pleurs : l. 277, 291, 368-369, 391, 572, 583, 589, 597, 664, 714, 730, 840, 867, 900, 919, 951, 980, 992, 1023.

Malédiction (sentiment de) : (préface) l. 110-121 ; (texte) l. 62-66, 144, 257-259, 346, 415-417, 484-493, 509-510, 853, 881-882.

Malheur : (préface) l. 44, 69, 86, 88, 97, 119, 128, 132, 134, 145 ; (texte) l. 63, 160, 162, 208, 217, 312, 497, 545, 556, 569, 609, 621, 628, 638, 689, 852, 867, 876-877, 924, 954, 961-962, 968-969, 1012-1013, 1057.

Mariage : l. 2, 639-647, 1057.

Mort : (préface) l. 144 ; (texte) l. 66, 119, 129-134, 137-143, 171-176, 185-192, 201-202, 205-225, 247, 390, 472, 659, 669-674, 821, 835-838, 962, 984.

Nature. *Éléments (mer, pluie, tempête)* : l. 75, 88-91, 184, 238-240, 269, 447, 476-481, 652-656, 901, 904-909, 916, 920, 932, 946, 952-957, 961, 973, 1053. *Nature et inspiration* : 91-93, 414, 441-445, 459, 479-484, 1041-1050. *Nature et splendeur* : 35-48, 50-51, 74-75, 82-84, 189. *Nature et religion* : (préface) 67-68 ; (texte) 159-168, 651-653.

Nuit : l. 168, 200, 381, 479, 906, 950, 973, 996.

Patrie : l. 85, 105, 112, 315, 327, 974.

Père : l. 6, 67, 78, 109, 118-120, 127, 129, 139-143, 305-308, 326-328, 636, 804, 993-995, 1036. *Toit paternel* : 70, 76-77, 105-113, 144, 716-725, 733-743.

Pitié : l. 59-65, 279, 612, 688, 1005.

Religion. *Religion et consolation* : l. 122-127, 148, 152-154, 159, 166-169, 364, 583, 614, 624, 650-651, 957, 962, 976. *Critique*

# Le « vague des passions » : crise d'adolescence ou mal métaphysique ?

À côté du drame qui se noue avec Amélie, l'autre sujet essentiel de *René* est « cet état du vague des passions » qui provoque tous les malheurs du héros. Insatisfaction de la vie offerte et aspiration à l'infini paraissent caractéristiques de ce mal et Chateaubriand en fait remonter l'origine au succès littéraire de Rousseau et de Goethe (voir p. 26 et 28).

Si la période romantique — du « René » de Chateaubriand au « Frédéric » de Flaubert *(l'Éducation sentimentale)* — paraît être un moment privilégié de l'exploration de ce mal, il semble également que l'on tienne là l'un des grands thèmes de l'histoire spirituelle des hommes.

## Le dégoût de la vie

Au-delà des circonstances historiques qui provoquent chez Hamlet, prince de Danemark, son écœurement devant la vie (assassinat de son père et trahison « incestueuse » de sa mère qui s'est remariée avec le frère et l'assassin de son mari), c'est bien un malaise de ce type que Shakespeare (1564-1616) met dans la bouche du héros de la pièce.

Être ou ne pas être : telle est la question. Y a-t-il pour l'âme plus de noblesse à endurer les coups et les revers d'une injurieuse fortune, ou à s'armer contre elle pour mettre frein à une marée de douleurs ? Mourir : dormir ; c'est tout. Calmer enfin, dit-on, dans le sommeil ces affreux battements du cœur ; quelle conclusion des maux héréditaires serait plus dévotement souhaitée ? Mourir, dormir ; dormir... rêver peut-être. C'est là le hic ! Car, échappés des liens charnels, si, dans ce sommeil du trépas, il nous vient des songes... halte-là ! Cette considération prolonge la calamité de la vie. Car, sinon, qui supporterait du sort les soufflets et les avanies, les torts de l'oppresseur, les outrages de l'orgueilleux, les affres de l'amour dédaigné, les remises de la justice, l'insolence des gens officiels, les rebuffades que les méritants rencontrent auprès des indignes, alors qu'un petit coup de pointe viendrait à bout de tout cela ? Qui donc assumerait ces charges, accepterait de geindre et de suer sous le faix écrasant de la vie, s'il n'y avait cette crainte de quelque chose après la mort, mystérieuse contrée d'où nul voyageur ne revient ? Voici l'énigme qui nous engage à supporter les maux présents, plutôt que de nous en échapper vers ces autres dont nous ne connaissons rien. Et c'est ainsi que la conscience fait de chacun de nous un couard ; c'est ainsi que la verdeur première de nos résolutions s'étiole à l'ombre pâle de la pensée ; c'est ainsi que nos entreprises de grand essor et conséquence tournent leur courant de travers et se déroutent de l'action.

William Shakespeare, *Hamlet* (acte III, sc. I), 1602, traduction d'André Gide, Gallimard, 1959.

## Le vertige du tourment

Avec la finesse d'introspection (voir p. 162) qui lui est propre, Rousseau (1712-1778) évoque son inexplicable attirance vers « le néant » de ses « chimères » et l'on voit se profiler les éléments d'une nouvelle sensibilité, exacerbée par la solitude.

Mon imagination ne laissait pas longtemps déserte la terre ainsi parée. Je la peuplais bientôt d'êtres selon mon cœur, et, chassant bien loin l'opinion, les préjugés, toutes les passions factices, je transportais dans les asiles de la nature des hommes dignes de les habiter. Je m'en formais une société charmante dont je ne me sentais pas indigne ; je me faisais un siècle d'or à ma fantaisie, et remplissant ces beaux jours de toutes les scènes de ma vie qui m'avaient laissé de doux souvenirs, et de toutes celles que mon cœur pouvait désirer encore, je m'attendrissais jusqu'aux larmes sur les vrais plaisirs de l'humanité, plaisirs si délicieux, si purs, et qui sont désormais si loin des hommes. Oh ! si, dans ces moments, quelque idée de Paris, de mon siècle et de ma petite gloriole d'auteur venait troubler mes rêveries, avec quel dédain je la chassais à l'instant pour me livrer, sans distraction, aux sentiments exquis dont mon âme était pleine ! Cependant, au milieu de tout cela, je l'avoue, le néant de mes chimères venait quelquefois la contrister tout à coup. Quand tous mes rêves se seraient tournés en réalités, ils ne m'auraient pas suffi : j'aurais imaginé, rêvé, désiré encore. Je trouvais en moi un vide inexplicable que rien n'aurait pu remplir, un certain élancement de cœur vers une autre sorte de jouissance, dont je n'avais pas d'idée et dont, pourtant, je sentais le besoin. Hé bien, monsieur, cela même était jouissance, puisque j'en étais pénétré d'un sentiment très vif et d'une tristesse attirante que je n'aurais pas voulu ne pas avoir.

Bientôt, de la surface de la terre, j'élevais mes idées à tous les êtres de la nature, au système universel des choses, à l'Être incompréhensible qui embrasse tout.

Jean-Jacques Rousseau, *Lettres à M. de Malesherbes,*
(« Troisième Lettre ») 1762.

## L'appel de la mort

Bien que la crise du jeune Werther ait pour cause immédiate une douleur amoureuse (l'impossibilité d'épouser Charlotte), Goethe (1749-1832) donne à l'analyse de son mal des accents beaucoup plus profonds.

Pourquoi faut-il que ce qui fait la félicité de l'homme devienne aussi la source de son malheur ?

Cette ardente sensibilité de mon cœur pour la nature et la vie, qui m'inondait de tant de volupté, qui du monde autour de moi faisait un paradis, me devient maintenant un insupportable bourreau, un mauvais génie qui me poursuit en tous lieux. Lorsque autrefois du haut du rocher je contemplais,

par-delà le fleuve, la fertile vallée jusqu'à la chaîne de ces
collines ; que je voyais tout germer et sourdre autour de
moi ; que je regardais ces montagnes couvertes de grands
arbres touffus depuis leur pied jusqu'à leur cime, ces vallées
ombragées dans leurs creux multiples, de petits bosquets
riants, et comme la tranquille rivière coulait entre les roseaux
susurrants, et réfléchissait les chers nuages que le doux vent
du soir promenait sur le ciel en les balançant ; qu'alors
j'entendais les oiseaux animer autour de moi la forêt ; que je
voyais des millions d'essaims de moucherons danser gaiement
dans le dernier rayon rouge du soleil, dont le regard, dans un
dernier tressaillement, délivrait et faisait sortir de l'herbe le
scarabée bourdonnant ; que le bruissement et le va-et-vient
autour de moi rappelaient mon attention sur le sol ; et que la
mousse qui arrache à mon dur rocher sa nourriture, et le
genêt qui croît le long de l'aride colline de sable, m'indiquaient
cette vie intérieure, ardente et sacrée qui anime la nature !...
comme je faisais entrer tout cela dans mon cœur ! Je me
sentais comme déifié par cette abondance débordante, et les
majestueuses formes du monde infini vivaient et se mouvaient
dans mon âme. Je me voyais environné d'énormes
montagnes ; des précipices étaient devant moi, et des rivières
d'orages s'y plongeaient ; des fleuves coulaient sous mes pieds,
les forêts et les monts résonnaient, et toutes les forces
impénétrables qui créent, je les voyais, dans les profondeurs
de la terre, agir et réagir, et je voyais fourmiller sur terre et
sous le ciel les innombrables races des êtres vivants. Tout,
tout est peuplé, sous mille formes différentes ; et puis voici
les hommes, qui ensemble s'abritent dans leurs petites maisons,
et s'y nichent, et selon eux, règnent sur le vaste univers !
Pauvre insensé, qui crois tout si peu de chose, parce que tu
es si petit ! Depuis les montagnes inaccessibles, à travers le
désert, qu'aucun pied ne toucha, jusqu'au bout de l'océan
inconnu, l'esprit de celui qui crée éternellement, souffle et se
réjouit de chaque atome qui le sent et vit de sa vie... Ah !
pour lors combien de fois j'ai désiré, porté sur les ailes de la
grue qui passait sur ma tête, voler au rivage de la mer
immesurable, boire à la coupe écumante de l'infini la vie qui
pleine de joie en déborde, et seulement un instant sentir dans

l'étroite capacité de mon sein une goutte de la béatitude de l'être qui produit tout en lui-même et par lui-même !

Mon ami, je n'ai plus que le souvenir de ces heures pour me soulager. Même les efforts que je fais pour me rappeler et rendre ces inexprimables sentiments, en élevant mon âme au-dessus d'elle-même, me font doublement sentir le tourment de la situation où je suis maintenant.

> Johann Wolfgang von Goethe, *les Souffrances du jeune Werther*
> (lettre du 18 août), 1774,
> traduction de Bernard Groethuysen, Gallimard, 1954.

## Première réflexion sur le « romantisme »

Mme de Staël (1766-1817), fille de Necker, connaît une vie sentimentale et politique passablement agitée. Elle tire de ces expériences les premières analyses de la nouvelle génération littéraire qu'elle voit naître en Europe depuis Rousseau. Au moment même où Chateaubriand compose le *Génie du christianisme* et *René,* elle écrit :

Ce que l'homme a fait de plus grand, il le doit au sentiment douloureux de l'incomplet de sa destinée. Les esprits médiocres sont, en général, assez satisfaits de la vie commune ; ils arrondissent, pour ainsi dire, leur existence, et suppléent à ce qui peut leur manquer encore par les illusions de la vanité ; mais le sublime de l'esprit, des sentiments et des actions, doit son essor au besoin d'échapper aux bornes qui circonscrivent l'imagination. L'héroïsme de la morale, l'enthousiasme de l'éloquence, l'ambition de la gloire, donnent des jouissances surnaturelles qui ne sont nécessaires qu'aux âmes à la fois exaltées et mélancoliques, fatiguées de tout ce qui se mesure, de tout ce qui est passager, d'un terme enfin, à quelque distance qu'on le place. C'est cette disposition de l'âme, source de toutes les passions généreuses, comme de toutes les idées philosophiques, qu'inspire particulièrement la poésie du Nord. [...] Le dégoût de l'existence, quand il ne porte pas au découragement, quand il laisse subsister une belle inconséquence : l'amour de la gloire, le dégoût de l'existence peut inspirer de grandes beautés de sentiment ; c'est d'une certaine hauteur que tout se contemple ; c'est avec une teinte forte que tout se peint. Chez les Anciens, on était d'autant meilleur poète que l'imagination s'enchantait plus facilement. De nos jours, l'imagination doit être aussi détrompée de l'espérance que de la raison ; c'est ainsi que cette imagination philosophe peut encore produire de grands effets.

Il faut qu'au milieu de tous les tableaux de la prospérité même, un appel aux réflexions du cœur vous fasse sentir le penseur dans le poète. À l'époque où nous vivons, la mélancolie est la véritable inspiration du talent : qui ne se sent pas atteint par ce sentiment, ne peut prétendre à une grande gloire comme écrivain ; c'est à ce prix qu'elle est achetée.

Mme de Staël, *De la littérature considérée dans ses rapports*
*avec les institutions sociales* (I, 2 et II, 5), 1800.

## Un mal sans espoir

Dans le même temps que Mme de Staël et Chateaubriand, Senancour (1770-1846) analyse sous le couvert de la fiction littéraire d'*Oberman* le mal profond dont il est affligé. Les accents sont proches de ceux de *René,* mais le mal est plus morbide encore, dépourvu de toute velléité de guérison.

Je me demande quelquefois où me conduira cette contrainte qui m'enchaîne à l'ennui, cette apathie d'où je ne puis jamais sortir ; cet ordre de choses nul et insipide dont je ne saurais me débarrasser, où tout manque, diffère, s'éloigne ; où toute probabilité s'évanouit ; où l'effort est détourné ; où tout changement avorte ; où l'attente est toujours trompée, même celle d'un malheur du moins énergique ; où l'on dirait qu'une volonté ennemie s'attache à me retenir dans un état de suspension et d'entraves, à me leurrer par des choses vagues et des espérances évasives, afin de consumer ma durée entière sans qu'elle ait rien atteint, rien produit, rien possédé. Je revois le triste souvenir des longues années perdues. J'observe comment cet avenir qui séduit toujours, change et s'amoindrit en s'approchant. Frappé d'un souffle de mort à la lueur funèbre du présent, il se décolore dès l'instant où l'on veut jouir ; et laissant derrière lui les séductions qui le masquaient et le prestige déjà vieilli, il passe seul, abandonné, traînant avec pesanteur son spectre épuisé et hideux, comme s'il insultait à la fatigue que donne le glissement sinistre de sa chaîne éternelle : lorsque je pressens cet espace désenchanté où vont se traîner les restes de ma jeunesse et de ma vie ; et que ma pensée cherche à suivre d'avance la pente uniforme où tout coule et se perd ; que trouvez-vous que je puisse attendre à son terme, et qui pourrait me cacher l'abîme où tout cela va finir ? Ne faudra-t-il pas bien que, las et rebuté, quand je suis assuré de ne pouvoir rien, je cherche au moins du repos ? Et quand une force inévitable pèse sur moi sans relâche, comment reposerai-je, si ce n'est en me précipitant moi-même ?

Il faut que toute chose ait une fin selon sa nature. Puisque ma vie relative est retranchée du cours du monde, pourquoi végéter longtemps encore inutile au monde et fatigant à moi-même ? Pour le vain instinct d'exister ! Pour respirer et avancer en âge ! Pour m'éveiller amèrement quand tout repose, et chercher les ténèbres quand la terre fleurit : pour n'avoir que le besoin des désirs, et ne connaître que le songe de l'existence : pour rester déplacé, isolé sur la scène des afflictions humaines, quand nul n'est heureux par moi, quand je n'ai que l'idée du rôle d'un homme : pour tenir à une vie perdue, lâche esclave que la vie repousse et qui s'attache à son ombre, avide de l'existence, comme si l'existence réelle lui était laissée, et voulant être misérablement faute d'oser n'être plus !

Étienne Pivert de Senancour, *Oberman*
(sixième année, lettre XLI, Lyon le 18 mai, VI), 1804.

## La vie sans illusions

Longtemps amant de Mme de Staël au cours d'une liaison très orageuse, Benjamin Constant (1767-1830) fait déjà figure d'épigone (disciple, imitateur) par rapport à Chateaubriand et Senancour lorsqu'il publie son *Adolphe* en 1816. Dans le cadre d'un roman partiellement autobiographique consacré au récit d'un drame sentimental, B. Constant livre de son héros un « portrait par petites touches » qui en fait un frère de René et d'Oberman, mais avec une nuance moins tragique.

Je portais au fond de mon cœur un besoin de sensibilité dont je ne m'apercevais pas, mais qui, ne trouvant point à se satisfaire, me détachait successivement de tous les objets qui tour à tour attiraient ma curiosité. Cette indifférence sur tout s'était encore fortifiée par l'idée de la mort, idée qui m'avait frappé très jeune, et sur laquelle je n'ai jamais conçu que les hommes s'étourdissent si facilement. J'avais à l'âge de dix-sept ans vu mourir une femme âgée, dont l'esprit, d'une tournure remarquable et bizarre, avait commencé à développer le mien. [...]
    Cet événement m'avait rempli d'un sentiment d'incertitude sur la destinée, et d'une rêverie vague qui ne m'abandonnait pas. Je lisais de préférence dans les poètes qui rappelaient la brièveté de la vie humaine. Je trouvais qu'aucun but ne valait la peine d'aucun effort.

Benjamin Constant, Adolphe (chap. 1), 1816.

À la fin du livre, sous la signature de « l'éditeur », Benjamin Constant tire une conclusion en forme de réquisitoire qui évoque la condamnation sans appel de la fin de *René*.

Je hais d'ailleurs cette fatuité d'un esprit qui croit excuser ce qu'il explique ; je hais cette vanité qui s'occupe d'elle-même en racontant le mal qu'elle a fait, qui a la prétention de se faire plaindre en se décrivant, et qui, planant indestructible au milieu des ruines, s'analyse au lieu de se repentir. Je hais cette faiblesse qui s'en prend toujours aux autres de sa propre impuissance, et qui ne voit pas que le mal n'est point dans ses alentours, mais qu'il est en elle. J'aurais deviné qu'Adolphe a été puni de son caractère par son caractère même, qu'il n'a suivi aucune route fixe, rempli aucune carrière utile, qu'il a consumé ses facultés sans autre direction que le caprice, sans autre force que l'irritation ; j'aurais, dis-je, deviné tout cela, quand vous ne m'auriez pas communiqué sur sa destinée de

109

nouveaux détails, dont j'ignore encore si je ferai quelque usage. Les circonstances sont bien peu de chose, le caractère est tout ; c'est en vain qu'on brise avec les objets et les êtres extérieurs ; on ne saurait briser avec soi-même. On change de situation, mais on transporte dans chacune le tourment dont on espérait se délivrer ; et comme on ne se corrige pas en se déplaçant, l'on se trouve seulement avoir ajouté des remords aux regrets et des fautes aux souffrances.

Benjamin Constant, Adolphe (« Réponse de l'éditeur »), 1816.

## Les orages de la vie

Inspirées, comme le *Werther* de Goethe, de la cruauté d'un amour brisé (quoique dans des circonstances différentes, puisque cet amour a d'abord été un amour heureux), les *Méditations poétiques* de Lamartine (1790-1869) font passer dans la poésie ce qui n'avait été exprimé jusque-là qu'en prose. On trouve ainsi, dans la pièce intitulée *l'Isolement* (1818), une transposition de ses tourments et de ses inquiétudes.

Que me font ces vallons, ces palais, ces chaumières,
Vains objets dont pour moi le charme est envolé ?
Fleuves, rochers, forêts, solitudes si chères,
Un seul être vous manque, et tout est dépeuplé !

Que le tour du soleil ou commence ou s'achève,
D'un œil indifférent je le suis dans son cours ;
En un ciel sombre ou pur qu'il se couche ou se lève,
Qu'importe le soleil ? je n'attends rien des jours.

Quand je pourrais le suivre en sa vaste carrière,
Mes yeux verraient partout le vide et les déserts :
Je ne désire rien de tout ce qu'il éclaire ;
Je ne demande rien à l'immense univers.

Mais peut-être au-delà des bornes de sa sphère,
Lieux où le vrai soleil éclaire d'autres cieux,
Si je pouvais laisser ma dépouille à la terre,
Ce que j'ai tant rêvé paraîtrait à mes yeux !

Là, je m'enivrerais à la source où j'aspire ;
Là, je retrouverais et l'espoir et l'amour,
Et ce bien idéal que toute âme désire,
Et qui n'a pas de nom au terrestre séjour !

Que ne puis-je, porté sur le char de l'Aurore,
Vague objet de mes vœux, m'élancer jusqu'à toi !
Sur la terre d'exil pourquoi resté-je encore ?
Il n'est rien de commun entre la terre et moi.

Quand la feuille des bois tombe dans la prairie,
Le vent du soir s'élève et l'arrache aux vallons ;
Et moi, je suis semblable à la feuille flétrie :
Emportez-moi comme elle, orageux aquilons !

Alphonse de Lamartine, Méditations poétiques<br>(I, vers 25 à 52), 1820.

## Lucidité du désespoir

Appartenant à la génération suivante des romantiques, Musset (1810-1857) jette sur le « mal du siècle » le regard cynique d'un créateur mûri par les passions et le travail. *La Confession d'un enfant du siècle* est une analyse au scalpel de ce mal qui ravage les consciences depuis le début du XIX$^e$ siècle. Musset, plus encore que Chateaubriand et Mme de Staël, donne une dimension sociale et historique à cette crise de conscience. La métaphysique et le « nombrilisme » de certains romantiques reculent au bénéfice d'une plus grande clarté d'examen.

Un sentiment de malaise inexprimable commença donc à fermenter dans tous les cœurs jeunes. Condamnés au repos par les souverains du monde, livrés aux cuistres de toute espèce, à l'oisiveté et à l'ennui, les jeunes gens voyaient se retirer d'eux les vagues écumantes contre lesquelles ils avaient préparé leurs bras. Tous ces gladiateurs frottés d'huile se sentaient au fond de l'âme une misère insupportable. Les plus riches se firent libertins ; ceux d'une fortune médiocre prirent un état et se résignèrent soit à la robe, soit à l'épée ; les plus pauvres se jetèrent dans l'enthousiasme à froid, dans les grands mots, dans l'affreuse mer de l'action sans but. Comme la faiblesse humaine cherche l'association et que les hommes sont troupeaux de nature, la politique s'en mêla. On s'allait battre avec les gardes du corps sur les marches de la chambre législative, on courait à une pièce de théâtre où Talma portait une perruque qui le faisait ressembler à César, on se ruait à l'enterrement d'un député libéral. Mais, des membres des deux partis opposés, il n'en était pas un qui, en rentrant chez lui, ne sentît amèrement le vide de son existence et la pauvreté de ses mains.

En même temps que la vie au-dehors était si pâle et si mesquine, la vie intérieure de la société prenait un aspect sombre et silencieux ; l'hypocrisie la plus sévère régnait dans les mœurs ; les idées anglaises se joignant à la dévotion, la gaieté même avait disparu. Peut-être était-ce la Providence qui préparait déjà ses voies nouvelles ; peut-être était-ce l'ange avant-coureur des sociétés futures qui semait déjà dans le cœur des femmes les germes de l'indépendance humaine, que quelque jour elles réclameront. Mais il est certain que tout d'un coup, chose inouïe, dans tous les salons de Paris, les hommes passèrent d'un côté et les femmes de l'autre ; et ainsi, les unes vêtues de blanc comme des fiancées, les autres vêtus de noir comme des orphelins, ils commencèrent à se mesurer des yeux.

Qu'on ne s'y trompe pas : ce vêtement noir que portent les hommes de notre temps est un symbole terrible ; pour en venir là, il a fallu que les armures tombassent pièce à pièce et les broderies fleur à fleur. C'est la raison humaine qui a renversé toutes les illusions ; mais elle en porte elle-même le deuil, afin qu'on la console.

Alfred de Musset, *la Confession d'un enfant du siècle* (chap. 2), 1836.

## La soif de l'ailleurs

La poésie baudelairienne revient obsessionnellement sur le dégoût de la vie, de ses mesquineries et de ses contradictions. Mais c'est pour lui opposer la lumière de l'Idéal.

## Élévation

Au-dessus des étangs, au-dessus des vallées,
Des montagnes, des bois, des nuages, des mers,
Par-delà le soleil, par-delà les éthers,
Par-delà les confins des sphères étoilées,

Mon esprit, tu te meus avec agilité,
Et, comme un bon nageur qui se pâme dans l'onde,
Tu sillonnes gaîment l'immensité profonde
Avec une indicible et mâle volupté.

Envole-toi bien loin de ces miasmes morbides,
Va te purifier dans l'air supérieur,
Et bois, comme une pure et divine liqueur,
Le feu clair qui remplit les espaces limpides.

Derrière les ennuis et les vastes chagrins
Qui chargent de leur poids l'existence brumeuse,
Heureux celui qui peut, d'une aile vigoureuse,
S'élancer vers les champs lumineux et sereins !

Celui dont les pensers, comme des alouettes,
Vers les cieux le matin prennent un libre essor,
— Qui plane sur la vie et comprend sans effort
Le langage des fleurs et des choses muettes !

Charles Baudelaire, les Fleurs du mal, 1857.

C'est donc bien, en dernière analyse, un mal essentiellement métaphysique : le « vague des passions » débouche sur une recherche de l'infini qui transcende les bornes étroites de la nature humaine. En ce sens, l'exigence « religieuse » est étroitement liée à cette crise, et, premières d'une longue lignée, les *Confessions* de saint Augustin font part d'une expérience analogue : seule la lumière de la foi le sauve et le tire de ses erreurs de jeunesse. Il existe une lecture augustinienne de Chateaubriand, que l'on ne s'étonne pas de découvrir par le relais de son éducation religieuse, mais surtout peut-être de ses lectures de Racine.

# Les premières *Confessions* du mal existentiel

Confronté à l'expérience de la douleur, saint Augustin (354-430) confesse à Dieu le désarroi, puis le dégoût de la vie orageuse qu'il a menée jusque-là. Ce sera le début de sa résipiscence (repentir).

Gémir, pleurer, soupirer, se plaindre, comment donc, de ces amertumes de la vie, recueillons-nous un fruit qui a sa douceur ? N'est-il doux que parce que nous espérons nous faire entendre de Vous ? C'est sûrement le cas pour nos prières, au fond desquelles il y a une aspiration à arriver jusqu'à Vous. Mais en était-il ainsi pour la douleur d'un être perdu, pour cette affliction dont j'étais alors accablé ? Je n'espérais plus le voir revivre ; ce n'était pas cela que demandaient mes larmes : je me contentais de gémir et de pleurer, car j'étais malheureux et j'avais perdu ma joie. Dirons-nous que les larmes sont en elles-mêmes chose amère, mais que nous y trouvons une douceur à cause du dégoût que nous inspirent les objets de nos anciennes jouissances, et tant que nous n'éprouvons plus pour ceux-ci que de la répugnance ?

Mais pourquoi parler de tout cela ? Ce n'est plus le moment de poser des questions, mais de Vous faire mes aveux. J'étais malheureux ; toute âme est malheureuse quand elle est enchaînée par l'amour des choses mortelles, et elle éprouve un déchirement quand elle vient à les perdre. C'est alors qu'elle sent la misère qui déjà la travaille avant même qu'elle ne les perde. Tel était mon état d'esprit à cette époque : je pleurais bien amèrement et je me reposais dans l'amertume. [...]

Ô démence qui ne sait pas aimer les hommes comme des hommes ! Ô l'insensé qui acceptait avec ces révoltes son lot d'homme ! C'est bien le nom que je méritais alors. De là mes effervescences, mes soupirs, mes pleurs, mon trouble intime, qui ne me permettaient ni repos, ni projet. Je portais une âme déchirée et sanglante qui ne voulait plus se laisser porter par moi, et je ne savais où la déposer.

Saint Augustin, *Confessions* (IV, 10-12), fin du IVe siècle.

# Annexes

# Histoire d'un livre :
# les aventures de *René*

Le manuscrit complet étant, semble-t-il, perdu, *René* n'existe pour nous que sous ses diverses formes imprimées. De son vivant, Chateaubriand ne l'a pas fait éditer à part, comme *Atala* en 1801. On le trouve par contre, de 1802 à 1804, dans chacune des quatre éditions du *Génie du christianisme,* où il figure comme épisode d'illustration du chapitre IX du livre III de la deuxième partie : « Du vague des passions ». Le titre exact du *Génie,* paru pour la première fois le 24 germinal an X (14 avril 1802), était : *Génie du christianisme ou Beautés de la religion chrétienne.*

La préface et le texte donnés dans ce « Classique » sont ceux d'une édition spéciale de 1805, considérée par Chateaubriand comme définitive, et qui regroupait une Préface, *Atala* et *René*. Ne sont, ici, cités de la Préface que les éléments expressément indiqués par l'auteur comme se rapportant au seul *René*.

## Variantes

Cette publication de 1805 apporte des modifications importantes et révélatrices par rapport aux quatre éditions de 1802 à 1804. Le texte sera ensuite réimprimé plusieurs fois à l'identique du vivant de Chateaubriand. C'est donc là la version définitive telle que l'auteur l'a voulue ; elle efface certaines des aspérités morales, politiques et stylistiques des éditions antérieures. Pierre Barbéris (voir p. 156) a publié en 1973 le *René* des éditions de 1802-1804.

Chacune de ces éditions apporte quelques variantes dont

seules les plus significatives pour l'élucidation de l'œuvre (ou
des arrière-pensées de son auteur) sont ici mentionnées.
Souvent, en effet, le texte des éditions antérieures est plus
explicite. C'est notamment le cas pour l'épisode qui suit la
lecture de la lettre où Amélie annonce son départ pour le
couvent. Le René de 1805 attribue cette soudaine décision au
fait « qu'Amélie avait peut-être conçu une passion pour un
homme qu'elle n'osait avouer » ; celui de 1802-1804 était
plus précis et incriminait clairement le poids du devoir envers
la famille, imaginant « une passion pour un homme d'un
rang inférieur et qu'elle n'osait avouer à cause de l'orgueil de
notre famille ». Les exhortations du « premier » René pour
convaincre sa sœur de lui « ouvrir [s]on cœur » soulèvent de
nouveau la question : il la suppliait « de ne pas sacrifier le
bonheur de sa vie à des parents qui lui étaient presque
étrangers ». Dans sa réponse, Amélie prenait à son tour
position sur ce point et, surtout, y formulait déjà l'aveu de
son amour pour son frère : « [...] Elle ajoutait en finissant :
"Je n'ai que trop négligé notre famille ; c'est vous que j'ai
uniquement aimé. Mon ami, Dieu n'approuve point ces
préférences ; il m'en punit aujourd'hui." »

# Les réminiscences

## La tradition chrétienne

À plusieurs reprises, les lectures de Chateaubriand resurgissent dans *René*. Se souvenant de son éducation chrétienne et porté par sa volonté d'écrire une apologie du christianisme, il cite ou évoque ainsi certains passages de la Bible ou des Écritures (les plus caractéristiques de ces réminiscences sont explicitées au fur et à mesure dans les notes de ce « Classique »). Un siècle et demi avant Chateaubriand, la rédaction d'une *Apologie de la religion chrétienne* avait déjà été entreprise, dans d'autres circonstances, par Pascal (1623-1662). S'il n'a pas eu le temps de mener son projet à terme, il en a toutefois laissé les esquisses, publiées après sa mort sous le titre des *Pensées*. Il y caractérise en particulier la condition de l'être humain de cette manière : « On croit toucher des orgues ordinaires, en touchant l'homme. Ce sont des orgues, à la vérité, mais bizarres, changeantes, variables, dont les tuyaux ne se suivent pas par degrés conjoints » (édition de Brunschvicg, 111). L'auteur du *Génie du christianisme* lui a-t-il emprunté cette image quand il fait dire à René que « notre cœur est un instrument incomplet, une lyre où il manque des cordes » (l. 454-455) ?

## Les leçons du siècle

Il doit tout autant à deux écrivains du XVIIIᵉ siècle : Jean-Jacques Rousseau (1712-1778) et Bernardin de Saint-Pierre (1737-1814), dont la conception de l'homme et de la nature a marqué des générations successives de lecteurs.

## Paul et Virginie

Dans *Paul et Virginie,* roman paru en 1787, Bernardin de Saint-Pierre faisait par exemple cette remarque, où se décèle d'ailleurs l'influence de Rousseau, son maître à penser : « C'est un instinct commun à tous les êtres sensibles et souffrants de se réfugier dans les lieux les plus sauvages et les plus déserts [...] comme si le calme de la nature pouvait apaiser les troubles malheureux de l'âme. » René, venu « s'ensevelir dans les déserts de la Louisiane » (l. 15), exprime en des termes proches un sentiment analogue : « La paix de vos cœurs, respectables vieillards, et le calme de la nature autour de moi, me font rougir du trouble et de l'agitation de mon âme » (l. 55-58).

Un pan entier de phrase passe même une fois du texte de Bernardin de Saint-Pierre à celui de Chateaubriand, où l'expression « ensevelir dans un éternel oubli » (l. 19-20) est en fait une citation quasi littérale de *Paul et Virginie* (« la mémoire même de la plupart des rois est bientôt ensevelie dans un éternel oubli »).

## Chateaubriand lecteur de Rousseau

Quant aux souvenirs de Rousseau, nombreux dans *René,* ils témoignent de l'ascendant que le philosophe a exercé sur Chateaubriand, malgré les déclarations de celui-ci tendant à dénigrer « Jean-Jacques Rousseau qui introduisit le premier parmi nous ces rêveries si désastreuses et si coupables » (voir la Préface, l. 92-94).

Les montagnes grandioses que René contemple au moment de se confesser à Chactas et au père Souël, évoquent ainsi maints passages de la *Profession de foi du vicaire savoyard,* des *Confessions* ou des *Rêveries du promeneur solitaire.* Cette réminiscence, peut-être involontaire, est d'autant plus révélatrice que, dans la réalité, « les sommets brisés des Apalaches » (l. 44-45) ne peuvent pas être aperçus depuis le territoire de la tribu...

La confession de René commence (voir l. 66), comme celle de Jean-Jacques, par la mort de la mère (« je coûtai la vie à ma mère, et ma naissance fut le premier de mes malheurs », *Confessions,* I), fait qui, dans le cas de Chateaubriand, n'est pas autobiographique. René connaît par la suite la solitude : « sans parents, sans amis, pour ainsi dire seul sur la terre » (l. 415-416). La tournure, de nouveau, rappelle Rousseau qui, au début cette fois de la « Première Promenade » des *Rêveries du promeneur solitaire,* déclarait : « Me voici donc seul sur la terre, n'ayant plus de frère, de prochain, d'ami, de société que moi-même. »

*René* porte aussi l'empreinte de *la Nouvelle Héloïse,* long roman épistolaire publié par Rousseau en 1761. Dans la lettre 5 de la deuxième partie, une jeune fille, Claire, se confie à sa cousine Julie : « moi qu'un même sang [...] et surtout une parfaite conformité de goûts et d'humeur [...] unit à toi dès l'enfance ». Parlant d'Amélie, René évoque à son tour « une douce conformité d'humeur et de goûts [qui l'] unissait à cette sœur » (l. 79 à 81).

Comme Saint-Preux (deuxième partie, lettre 14), amoureux de Julie, René compare la foule où il se perd à un « vaste désert d'hommes » (l. 360). Et à ces deux désespérés on conseille de « prendre un état » (voir la lettre d'Amélie, l. 635, et, dans la troisième partie de *la Nouvelle Héloïse,* la lettre 23 adressée à Saint-Preux par milord Edouard).

Enfin, plusieurs passages de Rousseau (dans *la Nouvelle Héloïse* mais aussi dans la « Première Promenade » des *Rêveries du promeneur solitaire* et dans les *Lettres à M. de Malesherbes,* « Troisième Lettre ») se retrouvent dans cette déclaration de René : « je trouvai même une sorte de satisfaction inattendue dans la plénitude de mon chagrin, et je m'aperçus, avec un secret mouvement de joie, que la douleur n'est pas une affection qu'on épuise comme le plaisir » (l. 869-872). Saint-

Preux par exemple ne s'exprimait pas très différemment :
« mes vives agitations commencèrent à prendre un autre
cours ; un sentiment plus doux s'insinua peu à peu dans mon
âme, l'attendrissement surmonta le désespoir, je me mis à
verser des torrents de larmes, et cet état, comparé à celui
dont je sortais, n'était pas sans quelques plaisirs » (quatrième
partie, lettre 17).

# Le double littéraire

Revivant au 7ᵉ livre de *Poésie et vérité* sa jeunesse à Leipzig et ses premières créations littéraires de 1767, Goethe écrit : « Commença alors cette tendance qui devait accompagner toute ma vie : transformer ce qui me tourmentait, me réjouissait ou m'occupait tout simplement en une image, un poème, un écrit ; je pouvais ainsi en avoir le cœur net en fixant mes idées à ce sujet et trouver en même temps le repos intérieur. Ce don particulier m'était plus indispensable qu'à tout autre, car ma nature me jette continûment d'un extrême dans l'autre. Tout ce que j'ai fait connaître au monde depuis ne sont en fait que les fragments d'une grande confession... »

Cette « tendance » de Goethe est à l'origine, entre autres, de son célèbre roman *Werther* (1774) : après avoir lui-même vécu un amour malheureux et fait une tentative (ratée) de suicide, l'auteur a peint le portrait d'un jeune homme de son âge qui, dans des circonstances analogues, finit — lui — par se tuer d'un coup de pistolet. Chateaubriand quant à lui, après avoir vigoureusement dénoncé le mal engendré tant par *Werther* que par Rousseau, livre au public en 1802, dans le *Génie du christianisme,* le récit de *René* où se mêlent aussi fiction et réalité, « poésie et vérité ». Le but proclamé de l'entreprise, tel que le réaffirme la Préface de la publication spéciale de 1805 (voir p. 22 à 30), est de guérir les esprits de ce « poison » que François René appelle « le vague des passions ». Or il semble bien que, à l'instar de Goethe et du Rousseau de *la Nouvelle Héloïse* (1761), l'auteur ait mis beaucoup de lui-même dans son *René*. De la réalité à la fiction, le chemin est peut-être celui de la purification et de la « rédemption ».

## Le socle du réel : errements et tourments

La vie de Chateaubriand de 1768 à 1799 (date de l'achèvement d'une première version du *Génie du christianisme*) est ponctuée chronologiquement par les faits suivants : enfance délaissée ; crainte du père ; forts liens avec la mère et Lucile, la sœur aînée ; période de « délire » dans l'intimité de sa sœur Lucile à Combourg ; tentative de suicide ; mort du père ; départ aux Amériques ; mariage ; exil et tribulations parmi les émigrés ; exécution du frère aîné (l'héritier du nom) et spoliation des biens de la famille pendant la Révolution ; récupération du château par Mme de Chateaubriand mère ; mariage de Lucile ; mort de la mère, puis d'une de ses sœurs, Julie ; retour à la foi ; rédaction du *Génie*.

Tels sont, rapidement résumés dans leur sèche succession, les événements marquants des trente premières années de François René de Chateaubriand, sur fond de Révolution pour les dix dernières d'entre elles. Le récit en est fait dans les onze premiers livres des *Mémoires d'outre-tombe*. Années tourmentées, riches d'errances, de faux pas et de douleurs, d'indécisions et de faux départs.

## La fiction de *René* : chronique du désespoir

En regard des vicissitudes traversées par l'homme réel, la destinée du héros fictif — ou présenté comme tel par son auteur (voir la Préface) — s'articule autour des péripéties et des faits suivants : mort de la mère à la naissance de son fils ; enfance délaissée ; crainte du père ; liens privilégiés avec Amélie, la sœur aînée ; mort du père ; tentation de la vie religieuse ; voyages (les vestiges de Rome et de la Grèce, puis les nations modernes) ; retour et solitude ; « délire » ; idée de suicide ; retour d'Amélie et séjour avec elle ; visite au château abandonné après la fuite mystérieuse de la sœur ; prise de voile de celle-ci et révélation du désir incestueux ;

départ aux Amériques ; mariage ; solitude ; mort d'Amélie ; confession de René ; mort annoncée du héros.

La juxtaposition des deux biographies — réelle d'un côté, « fictive » de l'autre — fait apparaître immédiatement des décalages chronologiques, des transferts, des oublis, des inventions et des correspondances. Même s'il faut prendre en compte les exigences de la littérature (mettre en scène un drame plus concentré dans une perspective de mise en garde), on ne peut que remarquer ces modifications avant d'essayer d'analyser leurs causes. Le Chateaubriand des *Mémoires d'outre-tombe* et de la correspondance s'est lui-même trop souvent qualifié de « vieux René » pour que ces écarts ne soient pas significatifs.

## Les décalages

### *Le temps de la malédiction*

On ne sait pas avec précision quand commence la rédaction de *René,* mais il est frappant de constater que la confession du héros commence par la mort de sa mère. Ce deuil est aussi l'événement le plus récent (1798) que Chateaubriand vient de vivre, alors qu'il est encore en exil à Londres.

Bientôt suivie de la mort du père (également décalée et anticipée dans la fiction par rapport à la réalité), la mort de la mère à la naissance du héros fait de René et d'Amélie des orphelins privés de toute vie familiale. Certes, le frère et la sœur s'entendent à merveille dans la fiction comme dans le réel, mais cette condamnation au huis clos sentimental est prononcée plus tôt dans la fiction que dans la réalité : premier « décalage ». Ce qui était la conséquence de la mise en nourrice (*Mémoires,* I, 1) devient dans *René* volonté du destin. La fatalité commence à ourdir ses pièges, à moins que l'on ait ici le premier argument d'un plaidoyer, l'auteur excusant l'attitude de son personnage par la force du destin...

## Communion ou solitude ?

Le second décalage important est celui de la fameuse période de « délire ». Dans le réel, cette période suit immédiatement les études de l'auteur et se déroule à Combourg avec, pour seule compagnie, celle de Lucile, bien que le père et la mère des jeunes gens soient présents dans le château (*Mémoires,* III). Dans *René* au contraire le héros connaît d'abord la tentation du monastère (sous l'influence d'Amélie), puis la vanité des voyages, enfin la solitude au milieu des grandes villes, avant de se retrouver absolument seul au sein de la nature, dans « la saison des tempêtes ». Dans l'intimité de la relation, à l'inverse de la situation précédente, la réalité dépasse la fiction. René ne passera un an en compagnie d'Amélie qu'après la venue de celle-ci, alertée par la lettre de son frère dans laquelle elle a compris la hantise du suicide. En revanche, c'est une tentative de suicide bien réelle — semble-t-il — que Chateaubriand raconte dans ses *Mémoires* (III, 14) : là encore, le réel est beaucoup plus dramatique que le fictif.

Ce second décalage renforce l'aspect « maudit » du héros de la fiction et le protège de toute pensée incestueuse consciente : d'un côté, François René, « dans sa douleur », se roule sur son lit en évoquant sa « Sylphide » (*Mémoires,* III, 10 et 13) ; de l'autre, c'est Amélie qui vient rejoindre René « avec compassion et tendresse [...] ; c'était presque une mère, c'était quelque chose de plus tendre ». Est-ce une seconde pièce à verser au dossier de l'apologie de René par François René... ou de Chateaubriand lui-même par *René ?*

# Les transferts

## Mariage avec Dieu ou avec le Commandeur ?

En 1796, Lucile de Chateaubriand, âgée de 32 ans, épouse un vieillard de 69 ans (à un an près, du même âge que sa mère). Même si de tels mariages « arrangés » sont alors monnaie courante, on ne peut que s'interroger sur le degré d'affection entre deux époux si disparates. Au reste, M. de Caud mourra l'année suivante et Lucile vivra, de 1798 à 1804, sans domicile fixe, entre la Bretagne et Paris, avant de sombrer peu à peu dans une sorte de folie suicidaire.

Dans la fiction de *René,* le héros assiste *volens nolens* à la prise de voile d'Amélie, au cours de laquelle sa sœur lui fait jouer le rôle du « père » qui amène la fiancée à l'autel (mais c'est pour un mariage mystique). Elle lui révèle ensuite (involontairement ?) le drame qu'elle a vécu et auquel elle tente d'échapper en se faisant religieuse. Les cartes se brouillent et les pistes se croisent : paternité spirituelle, convenances sociales, tentation de l'inceste, omniprésence de la statue du Commandeur (celui qui, dans la pièce de Molière, châtie Dom Juan parce qu'il bafoue les règles de la morale chrétienne), amour perdu et découvert en même temps. Il s'agit d'un véritable chassé-croisé où satanisme et sainteté échangent comme à plaisir leurs ornements contrastés.

Au-delà de la fiction et des modes littéraires de la fin du XVIIIe siècle, avec ses romans « noirs » et son « frénétisme » d'où émergera bientôt la sulfureuse figure du « divin marquis » (tardivement édité), ce jeu d'ombres et d'écrans dissimule des drames bien réels et des déchirures que la mort même d'Amélie est impuissante à cicatriser. Le père Souël montre une réelle lucidité lorsqu'il dit à René, à la fin de la confession de celui-ci : « Votre sœur a expié sa faute ; mais [...] je crains que, par une épouvantable justice, un aveu sorti du sein de la tombe n'ait troublé votre âme à son tour. » De François René qui écrit ou de René qui entend ces paroles, on pourrait se demander qui est le plus troublé...

## De l'idée du suicide au canon dans la bouche

Au moment où René confie à Chactas et au père Souël qu'il a voulu mourir, il précise cependant : « Rien ne me pressait : je ne fixai point le moment du départ, afin de savourer à longs traits les derniers moments de l'existence. » Dans ses

*Mémoires* (III, 14), Chateaubriand rapporte brutalement l'histoire suivante : « Je possédais un fusil de chasse dont la détente usée partait souvent au repos. Je chargeai ce fusil de trois balles et je me rendis dans un endroit écarté du grand Mail. J'armai le fusil, j'introduisis le bout du canon dans ma bouche, je frappai la crosse contre terre ; je réitérai plusieurs fois l'épreuve : le coup ne partit pas ; l'apparition d'un garde suspendit ma résolution. »

Une fois encore, la réalité décrite en 1826 dans le manuscrit des *Mémoires d'outre-tombe* est infiniment plus dramatique que le suicide différé du *René* de 1799-1802. Le masque qui était alors nécessaire — la mère et une des sœurs de Chateaubriand, Julie de Farcy, venaient de mourir, mais Lucile était encore vivante — ne l'est-il plus en 1826, lorsque la sœur préférée est morte depuis longtemps (et, semble-t-il, volontairement) ?

## Oublis et ajouts

### De la guillotine à la vente de l'héritage

« Le trois floréal, l'an second de la République française » (22 avril 1794), un ordre du Tribunal révolutionnaire expédiait à l'échafaud, « à cinq heures précises », une fournée de quatorze condamnés parmi lesquels Malesherbes et son épouse, avec Jean-Baptiste de Chateaubriand (le frère aîné de l'écrivain, héritier du titre et des terres) et sa femme, petite-fille de Malesherbes. Cette mort ignominieuse ne peut figurer dans *René,* puisque l'ensemble du récit se situe à une période antérieure (Chactas a été reçu à Versailles et présenté à Louis XIV).

Mais le héros semble avoir difficilement accepté sa situation de cadet et s'en plaint à plusieurs reprises : « J'avais un frère que mon père bénit, parce qu'il voyait en lui son fils aîné. Pour moi, livré de bonne heure à des mains étrangères, je fus élevé loin du toit paternel » (voir p. 34). Un peu plus loin, aussitôt après la mort du père : « Il fallut quitter le toit paternel, devenu l'héritage de mon frère : je me retirai avec Amélie chez de vieux parents. »

De là un ressentiment que René dissimule à peine, lorsqu'il rend visite au « toit de [ses] ancêtres » : « Mon frère aîné avait vendu l'héritage paternel, et le nouveau propriétaire ne l'habitait pas » (voir p. 64). Dans la réalité, le château de Combourg, confisqué et pillé en 1794, fut rendu à Mme de Chateaubriand mère en 1796. On devine, dans cet acharnement à associer la personne du frère aîné à la spoliation puis à la perte du « toit ancestral » (trois mentions dans un si bref récit), une rancœur qui se dissimule sous la fiction. S'agit-il, là encore, de ménager Mme de Chateaubriand en ses vieux jours ?

## Le voyage américain

Le voyage aux Amériques constitue la figure la plus visible des transformations et du jeu entre le réel et le fictif. Si René s'exile définitivement dans cette Louisiane où il trouvera la mort après de longues souffrances morales, François René de Chateaubriand, en revanche, ne passa en Amérique que cinq mois tout au plus (de juillet à novembre 1791), sans jamais aller jusqu'au Mississippi qu'il évoque longuement sous son nom indien (le Meschacebé).

Cela ne pose apparemment pas de problème sur le plan de l'écriture, de la description des rives du Meschacebé et du village des Natchez en Louisiane : Chateaubriand dispose, pour la « couleur locale », de maints récits de voyageurs qui lui fournissent tous les détails indispensables à la vraisemblance. On peut, par contre, s'interroger sur l'enfermement de René et sa mort lointaine. En l'éloignant ainsi dans l'espace et dans le temps, avant de le faire mourir sous la hache d'un Indien, on dirait volontiers que Chateaubriand « tue » son double littéraire en signe de libération personnelle, comme Goethe s'arrange, dans *Werther,* pour que son double fictif ne manque pas son suicide.

## Julie, Lucile et Amélie

Les critiques ont souvent comparé Amélie à Lucile de Chateaubriand, de quatre ans plus âgée que François René. C'est oublier peut-être Julie de Chateaubriand, troisième des filles du comte, née un an avant Lucile. Quand l'écrivain la rejoint à Paris, il la décrit en des termes fort proches de ceux utilisés par René lorsqu'il retrouve Amélie (voir p. 56-57) : « Julie me reçut avec cette tendresse qui n'appartient qu'à une sœur. Je me sentis protégé en étant serré dans ses bras, ses rubans, son bouquet de roses et ses dentelles. Rien ne remplace l'attachement, la délicatesse et le dévouement d'une femme... »

La fin de la vie de Julie de Chateaubriand, comtesse de Farcy, est fort édifiante et toute baignée de religion. Comme Amélie, elle s'est retirée dans un couvent : « Elle est devenue une sainte, après avoir été une des femmes les plus agréables de son siècle », et, plus loin : « Julie innocente se livra aux mains du repentir ; elle consacra les trésors de ses austérités au rachat de ses frères ; et à l'exemple de l'illustre Africaine sa patronne, elle se fit martyre » (*Mémoires,* IV, 2).

Le personnage d'Amélie combine peut-être autant de traits de Julie que de Lucile, plus longuement décrite dans les *Mémoires* (I, 1 ; III, 6, 8 et 11 ; IV, 10 et 13, etc.). Alors que François René avait quatre sœurs, René n'en a qu'une et celle-ci concentre divers traits des deux plus jeunes sœurs de l'écrivain. Ce dernier peut donc se retrancher derrière la fiction du roman même si, dans les *Mémoires* écrits par la suite, il ne cherche plus à dissimuler sa prédilection pour Lucile. Ainsi écrit-il, en commentant tristement la mort de l'élue : « Elle m'a quitté, cette sainte de génie. Je n'ai pas été un seul jour sans la pleurer. Lucile aimait à se cacher ; je lui ai fait une solitude dans mon cœur : elle n'en sortira que quand j'aurai cessé de vivre. Ce sont là les vrais, les seuls événements de ma vie réelle ! [...] La mort de Lucile atteignit aux sources de mon âme » (*Mémoires,* XVII, 6).

## Les correspondances

### *La crainte du père*

À côté des décalages, transferts et autres oublis, des points de convergence existent à l'évidence entre l'auteur et son héros. Le premier est certainement l'attitude envers le père, qui inspire aux deux jeunes gens une crainte non dissimulée. René évoque brièvement sa contenance : « Timide et contraint devant mon père... », mais l'auteur des *Mémoires* développe longuement, dans des pages devenues célèbres, l'espèce de terreur muette que René Auguste de Chateaubriand faisait régner sur sa famille à Combourg : « Lucile et moi, nous échangions quelques mots à voix basse, quand il était à l'autre bout de la salle ; nous nous taisions quand il se rapprochait de nous. Il nous disait, en passant : "De quoi parliez-vous ?" Saisis de terreur, nous ne répondions rien ; il continuait sa marche » (III, 3). Plus loin encore, le portrait tourne à la caricature de cauchemar — et Lucile est toujours associée à ces évocations : « Tout nourrissait l'amertume de mes dégoûts : Lucile était malheureuse ; ma mère ne me consolait pas ; mon père me faisait éprouver les affres de la vie. Sa morosité augmentait avec l'âge ; la vieillesse raidissait son âme comme son corps ; il m'épiait sans cesse pour me gourmander » (III, 15).

Il est possible de réinterpréter dans cette perspective la mort assez rapide du père de René et d'y reconnaître, sans trop forcer l'analyse, le meurtre œdipien transcendé par la littérature : le héros du roman réalise la « vengeance » du jeune homme réel et prend même — symboliquement, à la demande de sa sœur adorée — la place du « père » lors de la cérémonie des vœux religieux (l. 758, l. 803-804). Mais il en sera châtié.

## Le mariage forcé

Le récit de *René* est encadré par deux mentions de son mariage. On peut lire ainsi, au tout début : « En arrivant chez les Natchez, René avait été obligé de prendre une épouse, pour se conformer aux mœurs des Indiens ; mais il ne vivait point avec elle. » Les lignes suivantes, sur lesquelles le livre se referme, ne laissent rien augurer de mieux : « il retourna chez son épouse, mais sans y trouver le bonheur ». *Les Natchez* fournissent plus de détails sur ce mariage : Céluta, l'épouse indienne de René, a donné naissance à une petite fille que son père a baptisée Amélie ; mais avec la mort de René, la cellule familiale se dissout. La femme et la fille de René connaissent l'exil, la misère et, pour finir, Céluta se jette dans les chutes du Niagara.

Dans les *Mémoires d'outre-tombe,* le mariage de l'auteur est aussi évoqué par des termes sans appel. À son retour d'Amérique, le jeune Chateaubriand est sans argent alors qu'il lui faut rejoindre au plus vite l'armée des émigrés : « On me maria, afin de me procurer le moyen de m'aller faire tuer au soutien d'une cause que je n'aimais pas » (IX, 1). On lui fait épouser une Céleste de Lavigne, dotée d'une « fortune de cinq à six cent mille francs ». Et Chateaubriand de renchérir : « L'affaire fut conduite à mon insu. [...] Je ne me sentais aucune qualité du mari. Toutes mes illusions étaient vivantes, rien n'était épuisé en moi ; l'énergie même de mon existence avait doublé par mes courses. J'étais tourmenté de la muse. » Plus encore : « Il n'y avait [...] ni aventure, ni amour dans tout cela ; ce mariage n'avait que le mauvais côté du roman : la vérité. » On ne saurait être plus clair !

Aussitôt mariés, René et son auteur quittent leurs épouses, celui-ci pour l'armée des princes et l'exil, celui-là pour la profondeur mélancolique des forêts. La correspondance est ici étroite ; elle exprime le même refus, le même dégoût, quelles que puissent être par ailleurs les qualités des épousées : Céleste et plus encore Céluta sont des épouses aimantes, courageuses et soumises. La seule différence est la stérilité de Céleste (ou celle de François René ?). Pas de masques ici, ni de subtils décalages : c'est une identité parfaite entre le créateur et la créature. Mais cette identité est faite pour désespérer l'un et l'autre. La mort de René vient tout résoudre.

## L'écriture comme purification et renaissance

Au terme de cette brève enquête sur les figures du double littéraire dans *René,* que conclure ? À l'évidence, le prénom même choisi pour le héros fictif est emblématique : « René » renvoie à René Auguste de Chateaubriand, père de François René (qui, du reste, a longtemps cru qu'il s'appelait François Auguste, jusqu'à la parution du *Génie du christianisme*). Les références à la destinée personnelle de l'auteur, même transposées, ou décalées, ou déformées, abondent dans le récit de fiction.

La vie de René n'est pas la vie de son auteur intégralement transcrite ; toutefois *René,* présentant par ailleurs le mal de vivre propre à toute adolescence, a servi à Chateaubriand de révélateur et de « purgation des passions ». Tout indique cette dimension essentielle de la fiction littéraire, qui descend jusqu'aux profondeurs de l'être pour que « la lumière du jour dissipe les monstres ». Mais *René* est aussi le texte phare du romantisme naissant.

Bien qu'il déplorât lui-même le « pullulement » de « Renés » en prose et en poésie, à la suite du succès de son œuvre, Chateaubriand put se vanter d'avoir donné une forme littéraire aux rêves de plusieurs générations. Cela n'empêche cependant pas cette confidence de 1834 à Mme Récamier : « J'étais si en train et si triste que j'aurais pu faire une seconde partie à René, un *vieux René*. Il m'a fallu me battre avec la Muse pour écarter cette mauvaise pensée ; encore ne m'en suis-je tiré qu'avec cinq ou six pages de folie, comme on se fait saigner quand le sang porte au cou ou à la tête » (cité par Lenormant, *Souvenirs d'enfance et de jeunesse de Chateaubriand. Manuscrit de 1826 suivi de lettres inédites et d'une étude*).

# Les non-lieux de la révolte

Les tentatives d'élucidation biographique sont loin d'épuiser le mystère de *René* ; elles rendent compte trop partiellement de la fascination exercée par l'œuvre bien avant que l'on ne s'avisât de débusquer l'homme sous le personnage. Si ce texte, en sa première fraîcheur, a pu servir d'emblème à plusieurs générations de romantiques, c'est qu'il contenait en lui autre chose de plus fort peut-être, à coup sûr de plus immédiatement parlant.

Ce « quelque chose d'autre » pourrait bien être une révolte multiforme inspirée par le dégoût d'une vie qui n'offrait que fort peu de perspectives souriantes au jeune chevalier de Chateaubriand dans les années ambiguës qui ont suivi son retour d'Amérique.

## Le père abstrait, ou la révolte du cadet

La figure du père connaît, dans *René,* au moins trois hypostases : Chactas, le père adoptif de René l'Américain ; Souël, le père missionnaire, sorte de guide spirituel qui essaie de sauver René après sa confession (de façon trop brutale, sans doute) ; René lui-même, enfin, par substitution proprement psychanalytique, dans la célèbre scène des vœux d'Amélie, au couvent de B...

En regard de cette multiplication, de cette présence très marquée et fortement connotée, le véritable père de René est présenté de façon négative ou presque abstraite (voir l. 67 à 70, par exemple). René se décrit lui-même adolescent : « Timide et contraint devant mon père... » La réalité de la vie à Combourg (voir p. 130) permet de comprendre pourquoi, dans le récit fictif, René ne peut vraiment regarder son père que quand celui-ci est mort (voir p. 36-37), réduit à l'état d'abstraction allégorique.

C'est qu'il n'a guère lieu, pas plus que François René, de chérir particulièrement ce père dur et dominateur, qui néglige si visiblement l'éducation et le sort de ses derniers enfants. Dans la réalité, René Auguste de Chateaubriand, de 1754 à 1768, est le géniteur indifférent de dix enfants, dont François René est le dernier. Pour le créateur comme pour la créature, tous deux cadets, aucun espoir d'hériter du titre et des biens, ni même de partager ceux-ci : dans le système nobiliaire de l'époque, le droit d'aînesse est sans appel. Non seulement le père ne semble guère chérir ses derniers enfants, mais il condamne inéluctablement son deuxième fils à la pauvreté et à l'aventure.

Rancœurs pour des raisons sentimentales et matérielles se conjuguent donc dans la révolte à peine contenue du fils contre son père. La ferveur de René envers Chactas ne s'explique pas autrement : l'Indien a généreusement accueilli le proscrit sur la terre d'Amérique, en le défendant contre une partie de la tribu des Natchez qui voulait que le suppliant fût rejeté.

Au-delà du cas de René et de son créateur, c'est un système inique que Chateaubriand récuse ainsi. La remarque faite « en passant » à propos de son mariage (*Mémoires,* IX, 1) s'éclaire alors : « On me maria, afin de me procurer le moyen de m'aller faire tuer au soutien d'une cause que je n'aimais pas. » L'impécuniosité est la maladie chronique des cadets de la noblesse et Chateaubriand paraît avoir aussi mal supporté que René cette situation qu'il estimait injuste. Cela explique la coloration que cet état de choses donne à ses rapports avec son frère aîné (voir p. 127-128). Dans *René,* le frère bénéficiaire des attentions, du titre et de la fortune du père, a « vendu l'héritage paternel » presque sans pitié ni conscience et les seuls qui s'émeuvent à la vue de l'abandon du « toit paternel » sont les enfants écartés, Amélie et René (voir p. 65).

Pas plus que son héros, François René ne peut entrer en rébellion ouverte vis-à-vis de son père et de sa famille : cela « ne se fait pas » à l'époque. Mais il peut au moins, dans la création littéraire dont il est — lui — le père, escamoter la réalité du géniteur et consacrer, fût-ce dans l'utopie d'une Amérique de perdition, la révolte du cadet déshérité.

## La société honnie et le « mal du siècle »

Cette société fondée sur des systèmes inégalitaires comme le droit d'aînesse marginalise inéluctablement tous ceux qui, comme René, refusent d'admettre d'emblée ses règlements arbitraires, son hypocrisie et son égoïsme généralisés. Rien d'étonnant à ce que le rejet soit réciproque.

Au jeune homme qui rêve de buts grandioses à atteindre, la société oppose la loi implacable de l'oubli dans lequel tombent même les plus grands hommes : « Rien ne m'a plus donné la juste mesure des événements de la vie, et du peu que nous sommes » (l. 217 à 219). Lorsqu'il revient de ses voyages sans avoir « rien appris », la grande âme inquiète de René ne trouve dans son pays qu'incompréhension et exploitation. L'absence de toute communication est alors exprimée de façon simple et terrible : « Je voulus me jeter pendant quelque temps dans un monde qui ne me disait rien et qui ne m'entendait pas [...] mais je m'aperçus que je donnais plus que je ne recevais. Ce n'était ni un langage élevé, ni un sentiment profond qu'on demandait de moi » (l. 347 à 353).

Le rêve d'authenticité et de pureté dans l'accomplissement tourne au cauchemar de l'utilitarisme le plus vil : « Je n'étais occupé qu'à rapetisser ma vie, pour la mettre au niveau de la société. » René évoque ici le malaise de tout adolescent sur le point de devenir adulte et François René a sans doute vécu les mêmes souffrances morales, soit dans la société des émigrés, soit dans celle des Thermidoriens, tous préoccupés d'autre chose que de « l'Idéal ». « Les places ! Les places ! — Les sous ! Les sous ! », comme sifflent les voix dérisoires à la fin de *la Guerre civile* (Montherlant, 1965).

Cette révolte devant la société conduit aussi fatalement à l'exclusion de ceux qui ne veulent pas transiger : « Traité partout d'esprit romanesque, honteux du rôle que je jouais, dégoûté de plus en plus des choses et des hommes, je pris le parti de me retirer dans un faubourg pour y vivre totalement ignoré. » Ce refuge dans l'humilité pourrait être compris comme un pas vers la solidarité des humbles, mais, là non plus, aucune ouverture ne se manifeste : « je songeais que sous tant de toits habités je n'avais pas un ami » (l. 385 et 386). De telles déclarations se ressentent du désarroi de l'exilé londonien qu'était l'auteur à l'époque de la composition de *René* ; mais le mal est peut-être plus profond et surtout plus général.

Quelques années plus tard, avec des solutions différentes, les autres héros romantiques feront les mêmes constatations : Oberman (Senancour, 1804), Adolphe (B. Constant, 1816), Octave (Stendhal, 1827), Joseph Delorme (Sainte-Beuve, 1829), Julien Sorel (Stendhal, 1830), Raphaël de Valentin (Balzac, 1831), Rastignac (Balzac, 1835) formeront cortège à René dans cette découverte des platitudes sordides de la société où ils vont entrer (voir p. 107 à 110). Mais René et son auteur sont les premiers à exprimer, en France, cet ordre de sentiments et de pensées que sert la vigueur du style : rythmes ternaires et quaternaires, périodes, périphrases riches de sens, force des symboles et des contrastes, puissance visuelle des images, variété des métaphores, etc. Nulle raison d'y voir, comme certains commentateurs, une « pose » littéraire calculée au plus juste, du moins dans le premier état de la rédaction de ces pages brûlantes (1802-1804) [la version définitive de 1805 pose, en revanche, d'autres problèmes ; voir p. 116].

# La religion castratrice,
# ou la triple mort d'Amélie

Exilé de sa terre, puis de sa société, René l'est aussi de son désir. La découverte des tourments vécus par Amélie, comme le lui fait remarquer le père Souël, a jeté en lui un trouble profond qui a déterminé sa fuite en Amérique. Il est inutile, voire dérisoire, d'essayer d'occulter — ou d'innocenter — les sentiments troubles et les pulsions profondes qui se révèlent à l'occasion de cette crise. Inutile également d'y voir un artifice littéraire pour être prétendument à la mode d'une époque où l'inceste aurait été l'un des éléments obligatoires de tout roman « moderne ». D'abord parce que les incestes « littéraires » ne sont pas si nombreux ; ensuite — et surtout — parce que cela ne résout rien et n'explique pas grand-chose.

Le désir inconscient qui pousse René vers sa sœur s'exprime de manière assez transparente à plusieurs reprises, quels que soient les voiles sous lesquels la réalité est présentée : « elle tenait de la femme la timidité et l'amour, et de l'ange la pureté et la mélodie » (l. 565-566), ou encore : « c'était la seule personne au monde que j'eusse aimée, [...] tous mes sentiments se venaient confondre en elle, avec la douceur des souvenirs de mon enfance » (l. 533 à 536), et surtout : « c'était presque une mère, c'était quelque chose de plus tendre » (l. 550-551). Mais, avant même de pouvoir sublimer ce désir incestueux, René voit se dresser brutalement devant lui l'instance de répression que représentent l'Église et la religion.

La réaction de René est d'une violence sans ambiguïté, suscitée par la cruauté implacable de cette inhibition définitive qui fixe le désir dans le domaine de l'interdit et qui bloque toute possibilité d'évolution ou de transfert. Parlant de la lettre qui lui annonce la fuite d'Amélie dans le couvent de B..., René souligne lui-même ce caractère : « cette lettre, que je conserve pour m'ôter à l'avenir tout mouvement de joie »

(l. 603-605). La première des trois « morts » d'Amélie enclen-che le processus d'intégration de l'irrévocable, au nom de la religion.

La prise de voile est l'occasion d'une nouvelle révolte, plus violente encore, au moins dans l'expression : « Cette froide fermeté qu'on opposait à l'ardeur de mon amitié me jeta dans de violents transports » (l. 761-762). René s'imagine alors en rival de Dieu, véritable avatar de Satan : « L'enfer me suscitait jusqu'à la pensée de me poignarder dans l'église, et de mêler mes derniers soupirs aux vœux qui m'arrachaient ma sœur » (l. 764 à 766). Littérature que tout cela, comme on l'a dit avec une certaine nuance de mépris embarrassé ? Pourquoi pas expression littéraire d'une souffrance paroxystique réelle devant la rigueur d'une religion qui interdit et tranche sans souci de comprendre et d'aider ?

La seule « revanche » de René est, ici encore, d'assumer le sacrifice en jouant symboliquement le rôle du « père » qui conduit sa fille au sacrifice. Ainsi les figures de l'inceste interdit se multiplient-elles, la relation père-fille se substituant à celles précédemment rencontrées dans le texte même, frère-sœur et mère-fils. Le dernier coup sera porté par la troisième « mort » d'Amélie, celle qu'annonce une dernière lettre. C'est « la Supérieure » du couvent qui l'a rédigée, nouvel avatar de la puissance répressive de l'Église, celle qui inflige les douleurs ; mais les véritables sentiments d'Amélie resteront à jamais inconnus, puisque c'est la Supérieure qui attribue à la défunte la béatitude de la retraite. Or le lecteur sait aussi que le zèle et la charité d'Amélie l'ont fait se précipiter au-devant de la mort ; le suicide n'est pas très éloigné de cette fin édifiante, triomphe par l'absurde d'une religion décidément castratrice.

En regard de cette horreur vécue par René (qui débouche sur le malheur de Céluta, l'épouse indienne), perce l'instabilité affective qui marquera la vie de François René, l'incapacité à construire apparemment une relation durable, exempte de traverses. Même la liaison avec Mme Récamier est traversée d'orages nombreux qui traduisent l'insatisfaction de « l'Enchanteur » papillonnant. Se pose alors la question de la fêlure initiale, de l'événement primordial qui a déterminé cette attitude dans la vie de Chateaubriand. Les mariages de René et de François René compléteront de ce point de vue l'analyse des révoltes exprimées dans *René*.

## Le refus de la normalité

Les mariages forcés de René comme de son père spirituel (voir p. 131-132) sont à l'image d'un ordre social où le cœur n'entre pas. Mais le malheur s'attache aussi bien à Céluta et à Céleste de Lavigne. Le personnage fictif ne parvient pas à s'attacher René, qui ne consent à reprendre la vie commune et les relations sexuelles que sur les instances pressantes de Chactas et du père Souël, ceux-là même qui ont forcé René à la confession douloureuse de ses drames. Si le texte de *René* reste discret sur l'absence de bonheur du héros après ce retour au foyer, *les Natchez* apprennent au lecteur la naissance d'une fille et un détail terriblement symbolique : le père sans joie impose à sa fille le nom d'Amélie et la voue ainsi, de manière délibérée, au malheur et à la mort. La fécondité du mariage se trouve ainsi niée par l'instinct de mort et d'inhibition qui caractérise désormais le héros bloqué dans son évolution. Les forces naturelles, vénérées par les Indiens, se trouvent également réfutées par ce « baptême » mortel.

Selon les normes de l'époque, un malheur plus net encore affecte Céleste de Lavigne, qui reste sans enfants. Quelle que soit l'origine de cette stérilité, certaines lignes de son époux paraissent singulièrement dures à son égard : « Privée d'enfants, qu'elle aurait eus peut-être dans une autre union, et qu'elle eût aimés avec folie ; n'ayant point ces honneurs et ces tendresses de la mère de famille, qui consolent une femme de ses belles années, elle s'est avancée, stérile et solitaire, vers la vieillesse » (*Mémoires,* IX, 1). Le refus et l'absence de procréation paraissent ici procéder du même mépris ; nul regret de l'absence d'enfants chez l'auteur de ces lignes hautaines, derrière lesquelles il est facile de deviner le rejet de toute idée de paternité pour François René de Chateaubriand.

Un autre passage des *Mémoires d'outre-tombe* permet de jeter une lumière sans équivoque sur les places respectives de Céleste et de Lucile dans le cœur de François René ; il fait suite au passage cité plus haut (p. 129-130) sur le deuil de Chateaubriand à la mort de sa sœur : « Madame de Chateaubriand, toute meurtrie encore des caprices impérieux de Lucile, ne vit qu'une délivrance pour la chrétienne arrivée au repos du Seigneur. Soyons doux, si nous voulons être regrettés : la hauteur du génie et les qualités supérieures ne sont pleurées que des anges. Mais je ne puis entrer dans la consolation de madame de Chateaubriand » (XVII, 6). À peine modérée par l'âge, la répulsion que René avait manifestée jadis envers l'incompréhension dont sont victimes les esprits supérieurs resurgit ainsi dans ce texte de 1834. L'esprit de révolte gronde toujours chez ce « vieux René », quel qu'ait été son désir d'oublier le jeune.

## Les silences de la réécriture

Tout le feu de ces révoltes de jeunesse est visible et lisible à travers les écrans de l'écriture dans la première version de *René,* rééditée jusqu'en 1804. Tout bien considéré, ce récit forme même un étonnant contraste avec l'ouvrage dans lequel il est censé s'intégrer : le *Génie du christianisme.* Mais, lorsque Chateaubriand décide l'édition à part d'*Atala* et de *René* en 1805, il réécrit certains passages.

Ce travail sur le texte prend souvent la forme d'adoucissements et de suppressions (voir p. 116-117), comme si l'auteur voulait gommer certaines aspérités ou dissimuler certaines audaces et révélations de la première rédaction, écrite sous l'empire des émotions. Après cette révision, *René* restera tel quel pour la postérité. Mais le soupçon de travestissement naît à cette occasion chez certains commentateurs pour qui « l'Enchanteur » devient un « arrangeur ». Par souci de sa position officielle, ou pour ménager la destinée troublée de Lucile qui est en passe de perdre la raison et va bientôt mourir mystérieusement (sans doute suicidée), Chateaubriand aurait en somme atténué certains traits et renforcé les défenses contre les lectures trop incisives des révoltes et des drames de René. Trucage, insincérité, hypocrisie, mensonge ?

Ces multiples « arrangements » et dissimulations n'ont pourtant pas empêché un critique, Scipion Marin, de repérer dès 1832 l'autobiographie sous le texte de *René* (voir p. 143-144). Il reste surtout que, même modifié en 1805, *René* demeure un texte qui dérange. La critique académique a bien essayé de l'aseptiser et de lui ôter ses griffes ; les « morceaux choisis » ont tenté de mettre entre parenthèses les passages les plus brûlants. Il faut redonner à *René,* dans le cadre d'une lecture intégrale (voire d'une lecture comparée du texte de 1802 et de celui de 1805), son poids de douleur réelle et de contestation sincère. Comme son auteur, René, l'exilé de soi-même et du monde, refuse en dernière analyse les enterrements officiels des bien-pensants.

# *René,* Chateaubriand
et les critiques

À la parution du *Génie du christianisme* (« enveloppe » première de *René*), l'accueil de la critique fut assez élogieux. Ami de Chateaubriand, Fontanes publie le 15 avril 1802 dans le *Mercure de France* un article très chaleureux où il note en particulier que « tout le talent qu'on [a] aimé dans *Atala* est présent dans *René* ». Quelques jours plus tard (le 5 mai), paraît, dans la même revue, un article signé « P.M. » assurant que les contemporains, à coup sûr, « préféreront aux amours de Chactas les rêveries du jeune René ». La séduction immédiate et l'impact du texte semblent donc bien avoir agi sans délai sur le public, indépendamment du cadre plus général de l'œuvre dans laquelle le récit était inséré.

Avec le temps vinrent les études plus poussées, les interrogations et les critiques.

## Le problème de l'autobiographie

En 1832, un certain Scipion Marin, critique du parti libéral, écrivait ces lignes audacieuses pour l'époque.

Cette angélique Amélie, qui, sous le charme de cette amitié fraternelle dangereuse de tout le feu de l'âge, fuit et son frère et le monde, demandant asile à la sainteté du cloître ; ce René qui, errant tristement dans le monde, seul, solitaire dans la foule, sans sympathies, ne trouve d'écho à son âme que dans l'âme d'une sœur si belle, si spirituelle ; ce René qui, ne pouvant plus s'aveugler sur cette fatale fascination, débrouille avec effroi ses sentiments, et s'enfuit dans l'Amérique-Nord ; tout cela serait-il complètement fictif ? Comme les anges de Thomas Moore, René et Amélie tirés de l'imagination du poète, n'auraient donc point eu de type ici-bas ?

Il est dans l'accomplissement des idées du beau en nous, un pouvoir surnaturel auquel nous voudrions vainement nous soustraire ; que dans des solitudes à peine troublées des pas de quelques rustiques, un jeune homme aux éblouissements extatiques se trouve, lors du premier murmure des passions, sous l'empire de ce beau idéal, en nourrisse son esprit, s'y complaise, il n'ira pas entourer de prestiges la fille hâlée d'un pêcheur ou celle d'un pâtre, dans son besoin de sympathie. Elles peuvent bien avoir une beauté relative, elles peuvent bien, favorites de la nature, briller avec des formes ravissantes, un œil noir, une physionomie qui parle, mais il est ce je ne sais quoi de charmant, de doux, de divin, que l'éducation, que la culture de l'esprit donnent seules, et cela on le chercherait en vain dans ces villageoises, qu'un peintre peut bien faire poser devant lui, mais que le poète, qui ne se contente pas des formes extérieures, qui veut le langage de l'âme, ne saurait diviniser, du moins le poète vrai.

Mais si dans cet isolement, bercée dans les bras d'un jeune homme aux profondes sensations, compagne de ses pas, dépositaire des épanchements de son âme, une sœur en quoi l'instruction a comblé les attraits, à qui la vie sédentaire a donné cette délicatesse de teint, ce dégagement des vulgaires pensées, tous les embellissements enfin, si, dis-je, cette sœur a d'habitude entouré le poète de ses bras innocents, l'affection pourra prendre le change ; ils s'aimeront, ils se rechercheront ; ce ne sera que quand, avertis par l'excès de leur tendresse, ils se verront sur le seuil de la faute, qu'ils se sépareront avec effroi : alors, ouvrant les yeux sur la perfidie du destin, ils croiront à peine mettre entre eux assez de distance, avec les dix-huit cents lieues de l'océan Atlantique.

Scipion Marin,
*Histoire de la vie et des ouvrages de M. de Chateaubriand*, 1832.

## Le mal de vivre

Évoquant les *Mémoires* alors en cours de rédaction, un autre critique (et futur opposant à l'Empire), Edgar Quinet, note ses réactions dans le numéro d'avril 1834 de la *Revue de Paris*.

Cette vie de poète est elle-même un poème. [...] Si vous allez au fond, c'est encore là le grand René assis un peu plus bas sur le bord des espérances humaines. Son âme vide qui appelait la tempête a trouvé la tempête qui ne l'a pas remplie. [...] Cette plaie de génie que la vie lui a faite n'est pas encore guérie ; seulement à son mal l'ironie s'est ajoutée.

Edgar Quinet,
*Revue de Paris*, avril 1834.

Sainte-Beuve a subi plus qu'un autre, peut-être, dans sa jeunesse d'écrivain — à demi raté —, l'influence du *René* de Chateaubriand. Aussi l'examen qu'il en fait dans son cours de littérature consacré en 1848-49 à *Chateaubriand et son groupe littéraire sous l'Empire* est-il tantôt celui d'un critique qui règle son compte à sa propre jeunesse, tantôt celui d'un admirateur qui se souvient de ses premières émotions.

René commence par où Salomon finit, par la satiété et le dégoût. « Vanité des vanités ! » voilà ce qu'il se dit avant d'avoir éprouvé les plaisirs et les passions ; il se le redit pendant et après : ou plutôt, pour lui, il n'y a ni passions ni plaisirs ; son analyse les a décomposés d'avance, sa précoce réflexion les a décolorés. Savoir trop tôt, savoir toutes choses avant de les sentir, c'est là le mal de certains hommes, de certaines générations presque entières, venues à un âge trop mûr de la société. Ce travail que l'auteur du *Génie du christianisme* fait sur la religion, cherchant à la trouver belle avant de la sentir vivante et vraie, à lui demander des sensations et des émotions avant de l'avoir adoptée comme une règle divine, — ce travail inquiet et plus raisonné qu'il n'en a l'air, René l'a appliqué de bonne heure à tous les objets de la vie, à tous les sujets du sentiment. Avant d'aimer, il a tant rêvé sur l'amour que son désir s'est usé de lui-même, et que lorsqu'il est en présence de ce qui devrait le ranimer et l'enlever, il ne trouve plus en lui la vraie flamme. Ainsi de tout. Il a tout dévoré par la pensée, par cette jouissance abstraite, délicieuse hélas ! et desséchante, du rêve ; son esprit est lassé et comme vieilli ; le besoin du cœur lui reste, un besoin immense et vague, mais que rien n'est capable de remplir.

Quand on est René, on est double ; on est deux êtres d'âge différent, et l'un des deux, le plus vieux, le plus froid, le plus désabusé, regarde l'autre agir et sentir ; et, comme un mauvais œil, il le glace, il le déjoue. L'*un* est toujours là qui empêche l'*autre* d'agir tout simplement, naturellement, et de se laisser aller à la bonne nature. [...]

René est le fils d'un siècle qui a tout examiné, tout mis en question : c'est bien l'auteur de l'*Essai*, mais chez qui cette intelligence avancée, consommée, se trouve en désaccord flagrant avec une imagination réveillée et puissante, avec un cœur avide et inassouvi. [...]

Tout cela dit, René garde son charme indicible et d'autant plus puissant. Il est la plus belle production de M. de Chateaubriand, la plus inaltérable et la plus durable ; il est son portrait même. Il est le nôtre. La maladie de René a régné depuis quarante-huit ans environ ; nous l'avons tous eue plus ou moins et à divers degrés. Vous, jeunes gens, vous ne l'avez plus. Mais serait-ce à nous, qui l'avons partagée autant que personne, de venir ainsi vous en dire le secret et vous en révéler la misère ? S'il y a indiscrétion de notre part, l'amour de la vérité seule nous y a poussé, et aussi peut-être un reste d'esprit de René qui porte à tout dire et à se juger soi-même jusque dans les autres.

Sainte-Beuve, *Chateaubriand et son groupe littéraire sous l'Empire*, XIVᵉ et XVᵉ leçons, 1848-1861.

## La critique universitaire

Au tournant du siècle, Gustave Lanson n'est pas loin de trouver *René* immoral et en fait une analyse au vitriol.

Chateaubriand ne connaît pas la femme ; il nous présente toujours des variantes du même type irréel ; toujours il a logé son fantôme d'amour, vague et insubstantiel, dans des corps charmants, entrevus un jour par lui en quelque lieu des deux mondes, et qui ont caressé ses yeux ou fait rêver son âme, sans qu'il ait jamais su ou daigné pénétrer la personnalité réelle qui s'y enveloppait. De là le vide de ces formes, psychologiquement nulles, délicieux modèles de chromolithographie.

Les héros ne sont aussi qu'un seul type : Chactas jeune dans *Atala*, René dans l'épisode qui porte son nom et dans *les Natchez*, Eudore des *Martyrs*, c'est M. de Chateaubriand, lui, toujours lui, vu par lui-même. Ici encore nulle psychologie, beaucoup de rhétorique, et à travers tout cela, par moments, une vérité profonde, une mélancolie poignante. Car c'est sa maladie qu'il décrit, c'est de sa maladie que vivent Chactas, Eudore et René ; et partout où l'expression ne dépasse pas la réalité des malaises moraux de l'auteur, un charme douloureux s'en dégage. Je n'aime guère l'épisode de *René* qui eut tant de succès : c'est une amplification sentimentale, la pire des amplifications. Chateaubriand s'y donne le plaisir de noircir dramatiquement les émotions de sa jeunesse : d'une amitié fraternelle, toute simple, innocente et commune, encore qu'ardente et nerveuse, il fait un gros amour incestueux ; il donne à René, masque transparent de lui-même, le fastueux et malsain prestige de la passion coupable, contre nature, et il invente la sublimité poétique des monstruosités morales.

Chateaubriand trouve finalement grâce auprès du sévère professeur pour son influence décisive sur le romantisme historique et poétique, de Lamartine à Michelet.

Il y a des parties mortes dans l'œuvre de Chateaubriand : ses idées philosophiques, son style empire, et — ce qu'il faut regretter — son romantisme classique, sa vision pittoresque de la civilisation grecque et romaine. On laissera tomber tout cela : et l'on ne prendra que les parties franchement modernes de son inspiration. De celles-ci coulera tout le romantisme, histoire et poésie.

147

Il a donné des leçons d'individualisme, dont nos romantiques s'inspireront ; et à travers Byron, ce sera encore Chateaubriand qui leur reviendra. Le héros romantique, victime de la destinée, sombre par état et désespéré, est sa création. Il y a même dans René un *dilettante* de la révolte et du crime qui se fait une volupté d'être seul contre toute la société : « Se sentir innocent et être condamné par la loi était dans la nature des idées de René une espèce de triomphe sur l'ordre social. » L'ennui, la mélancolie, tout le vague de l'âme de Chateaubriand, séparé de sa puissance pittoresque, formera le courant lamartinien. À chaque instant dans une lecture rapide, se notent les thèmes auxquels il ne manque que le vers de Lamartine.

Gustave Lanson, *Histoire de la littérature française,*
Hachette, 1894-1902.

## « Une génération de ruines »

Préfaçant en 1969 son édition des *Œuvres romanesques et voyages* pour la Bibliothèque de la Pléiade, Maurice Regard montre que *René* est à l'image de son siècle.

Les circonstances de sa vie ne sont pas étrangères non plus au mal de René : il est un effet de la nature instable de Chateaubriand, avide d'une existence mondaine à laquelle son enfance bretonne l'avait mal préparé. Hasardeux dans ses convictions religieuses et ses convictions politiques, chrétien douteux, royaliste suspect, il ne sera jamais non plus nettement ni homme d'État ni écrivain. Une caricature de la Restauration le présente en girouette de moulin à vent. Il restera toujours un besogneux, mais rêvera de fortune. Il est l'homme des contradictions et des contrastes, des changements, aussi bien dans sa vie, dans son caractère que dans son œuvre ou ses domiciles : au départ le plus simple et le plus bienveillant des causeurs, l'homme le plus accueillant et le moins maniéré qui soit, tout de suite après il apparaît comme le plus détestable comédien. Jusqu'à la fin il sera ainsi : l'hôte cérémonieux de Mme Récamier, l'époux morose de Céleste, l'aventurier crasseux de l'*Itinéraire*, le Renaud de la plus déroutante Armide, l'amant champêtre d'Hortense Allart dans les guinguettes de la banlieue ou les auberges de province. Cette instabilité s'explique par l'époque où il a vécu. On ne traverse pas sans en porter les marques profondes la Révolution, l'exil, la misère, l'emprisonnement et la mort des siens. Le mal tient au siècle. Il faut y ajouter l'anachronique château de son enfance, la dureté d'un père à la joue sèche dont le regard lançait des flammes, la tendresse craintive et fervente d'une mère et de jeunes sœurs, la compagnie enfin de cette inquiétante Lucile avec laquelle il traduisait les plus tristes passages de Job et de Lucrèce ; plus tard un foyer sans enfants, sans joie, une vie sentimentale sans cesse et jusqu'à la fin en porte à faux, les amours sans cesse remises en question.

Maurice Regard, préface aux Œuvres romanesques et voyages,<br>
Gallimard, « Bibliothèque de la Pléiade », 1969.

Ainsi René est au premier chef un personnage composite qui a ses attaches dans le siècle précédent et le goût du jour. Cleveland, à côté de Saint-Preux, Ossian, Werther, sont des modèles aussi clairs que l'adolescent de Combourg. C'est à eux qu'il emprunte également ces délires auxquels Chateaubriand faisait allusion dans une lettre à Mme de Staël du 16 octobre 1801 : « Quand vous serez lasse du monde, je vous prêcherai les folies de la solitude. Ce sont celles de mon René [...]. » Révolte contre la condition humaine et la société, vanité du savoir et des civilisations, désespérance du voyage, tentation du suicide, impatience de la mort et du néant, dont la tempête d'automne apporte l'instant désir : déjà s'orchestrent somptueusement les grands thèmes d'un romantisme vieux comme la Bible, non seulement celui de Lamartine, mais aussi celui de Baudelaire et de Lautréamont. Jamais le mot de Diderot sur la puissance créatrice des époques troublées n'a trouvé plus heureuse illustration. René est bien le poème d'une génération de ruines, écrit au lendemain d'une révolution, quand le sentiment de l'existence se confond avec le désespoir de vivre et l'effritement des choses.

Maurice Regard,<br>
introduction à René,<br>
Gallimard, « Bibliothèque de la Pléiade », 1969.

## Le retour des vrais « orages »

Loin des problèmes de « structures » et de « fonctionnement » mis en avant par la « nouvelle critique », Pierre
Barbéris retrouve en 1973 le chemin du texte et sa valeur de
provocation.

*René*, en effet, a mobilisé de profondes puissances d'émotion
dans des générations successives. *René* a été un texte scandaleux
et un texte beau. Parce que *René* a été un grand texte sur la
jeunesse, sur les démons qui s'éveillent, sur ce qui les fait
s'éveiller. Parce que *René* a été un grand texte du refus (aussi
bien du cœur que de la raison) dans un monde où chacun se
découvre cadet, exclu, sans père et plus ou moins paria ; où
la science est vaine ou truquée, le tour des choses semblant
devoir être vite fait et toute expérience, avant la date, déjà
faite elle aussi ; où l'on a plus de souvenirs que si l'on avait
mille ans ; où tout, comme dit Gide, est salissure des livres.
Ce n'est pas seulement le « sujet », c'est le langage-sujet qui
ici est puissance d'appel. Stendhal trouve des arguments dans
*René* lorsqu'il s'en prend à l'alexandrin cache-sottise. Dès lors
se pose une question grave.

   Car toute une critique, qui se veut moderne, entend s'en
tenir aux problèmes de fonctionnement. Pour elle, les textes
ne sont que choses froides, toute admiration étant capitulation
devant l'idéologie dominante. Certes, l'idéologie dominante a
essayé de substituer une approche irrationnelle à une approche
scientifique des textes, et il est vrai, en conséquence, qu'il
faut avoir, face aux textes, une attitude scientifique. Mais
science interdit-elle plaisir et beauté, c'est-à-dire prise en
compte vécue du texte ?

Pierre Barbéris,
*« René », de Chateaubriand,
un nouveau roman*, Larousse, 1973.

Cette approche renouvelée permet à Pierre Barbéris de dégager
dans *René* le sens de la confession, véritable psychodrame.

Ici, et c'est l'intérêt de la démarche commencée avec *les
Natchez*, il y a éclatement du JE non pas en « réalités »

lyriques anarchiques (on est à l'intérieur d'ensembles romanesques dialectiques, avec inter-réactions, dégagement de sens
et progrès non tant d'ailleurs en direction de « solutions »
qu'en direction de la révélation, de la découverte de réalités
matérielles oubliées et de la manifestation de contradictions
nouvelles) mais en points de vue, en pratiques, en intentions
ou volontés de pratiques dont aucune n'est souveraine régente,
dont aucune n'est totalement illégitime ou absurde. Le JE se
met en scène : ce n'est pas que, « préromantique » ou
« romantique » comme on dit, il s'exhibe ou consent pares-
seusement et complaisamment à soi-même. C'est que JE doit
passer par des fonctions. On retrouve le pacte ou la tentative
de pacte René-Chactas, René-père Souël. Il n'en saurait rien
sortir de résolutif : ce serait faire alors comme si le psychique
pouvait changer le matériel, être à l'origine de son évolution ;
ce serait une pratique profondément idéaliste. Mais il en sort
une vue plus claire, un peu moins mystifiée des contradictions
non pas éternelles mais relancées du réel. Relancées bien
entendu par l'Histoire évolutive. Et la dialectique des fonctions,
situations, personnages, se développe dans la dialectique
écriture de soi − lecture de soi − lecture faite par les autres.
Le psychodrame dès lors, le psychodrame littéraire trouve et
forge son sens, du sens : au départ il correspond à l'éclatement
des pratiques et des consciences sous la pression dissociative
et atomisante de la société civile qui, au lieu d'intégrer, divise
et rejette, fait des hommes des rejetés et des rejetants ; mais
très vite il correspond à cette réaction dialectique de recherche
d'une recomposition de soi et du sens du monde qui manifeste
la non-passivité des hommes devant la situation qui leur est
faite, leur besoin de recomposition, leur aptitude à la recomposition, même si elle est pour le moment dans le vide,
incapable de s'accrocher à quelque Histoire nouvelle possible
vers l'avant. L'origine, le moteur peuvent être − et sont −
à la fois du passé (l'existence, la commune perdue) et de
l'avenir (la prise et la reprise en compte des valeurs et
possibilités d'avenir défigurées, déviées, dénaturées par la
révolution bourgeoise). L'origine de classe joue ici un rôle
important, mais non mécanique. On est toujours à la fois d'un

passé et d'un avenir dans une société qui tue le passé et interdit l'avenir. Cela surtout lorsqu'on est un marginal social, un « intellectuel », un métis historique. Mettre fin à la marginalisation, au métissage : tel est l'objet du psychodrame littéraire chez Chateaubriand romancier. Il serait vain d'en attendre des résultats qu'il ne peut donner. Un triomphe absolu de René comme un triomphe absolu du père Souël, et l'on sortait de la littérature pour rentrer dans le volontariste, dans le décisionnaire pur. Comme Freud lisant les rêves (les lisant comme des textes), le texte, ici, lit et donne à lire, par l'intermédiaire d'une mise en scène, des ensembles fantasmatiques, idéologiques, séparés de leurs origines matérielles. Il y a à la fois configuration, déconfiguration et tentative de reconfiguration. La démarche est dès lors infinie vers l'avant, héros et situations étant non pas déproblématisés mais lus et donnés à lire et à pratiquer dans une perspective problématique plus exacte et plus complète, dans une perspective de problématisation de plus en plus exacte, complète et rigoureuse du monde. Et cette problématisation est de caractère historique : ce n'est pas l'âme de René que l'on « connaît » mieux désormais ; c'est le comment et le pourquoi (un peu aussi le pour quoi) historiques de cette âme.

Pierre Barbéris,
*À la recherche d'une écriture : Chateaubriand*, Mame, 1974.

## Le désir de l'écriture

Dans son ouvrage sur *l'Enchantement littéraire,* Yves Vadé essaie d'expliquer le « charme » propre de Chateaubriand autrement que « par un arrangement de mots particulièrement heureux ». Il approfondit ainsi le sillon critique inauguré par Pierre Barbéris.

Ses songes ne sont pas seulement un refuge et un refus. Ils sont tendus vers un autre réel, qui ne sera pas réalité mais qui aura été vécu, le temps d'un fantasme, comme possible. Ils sont attente et création d'autre chose. Ils ont besoin d'avenir : « n'ayant plus d'avenir, je n'ai plus de songe »

(4ᵉ partie, III, 1) — et l'on peut penser que sa haine de la vieillesse prend là sa source.

Ce qui les suscite porte un nom : c'est le désir. Un désir que rien n'assouvira jamais, ni les voyages, ni l'action, ni la gloire, ni l'amour, et qui prit possession de lui dans les années solitaires de Combourg, et peut-être plus tôt encore (« je n'étais pas à une nagée du sein de ma mère »...). Sainte-Beuve comme d'habitude avait vu juste d'emblée, et comme d'habitude il a rapetissé au niveau de l'anecdote ce qui était d'un tout autre niveau, lorsqu'il fait de René « l'homme de désir » : « ... il avait bu de bonne heure le philtre, et il n'a jamais voulu l'oublier [...]. C'est l'homme de désir au sens épicurien, — le désir prolongé et toujours renouvelé d'une Ève terrestre ». Opposition maligne du désir « épicurien » au désir selon Saint-Martin... Mais il ne s'agit pas des « faiblesses » de la chair ou d'une curiosité de complexion un peu honteuse, appelant ces sous-entendus biographiques dont ne peut se passer l'auteur des *Lundis*. Il s'agit du mouvement même qui fait de Chateaubriand un écrivain, et cet écrivain à propos duquel on ne peut s'empêcher d'associer l'écriture et l'enchantement.

Pierre Barbéris a certes raison d'expliquer l'écriture de Chateaubriand par la situation historique dans laquelle il se trouve et par la manière dont il y réagit. Mais encore fallait-il que Chateaubriand écrivît. Antérieurement à tout, il y a ce passage au langage, ou plus précisément cette connexion du langage avec le désir, par quoi celui qui était possédé du désir devient possédé de l'écriture. Passage qu'il effectue, on s'en souvient, sur la suggestion de Lucile et sur le thème — faut-il s'en étonner ? — de la solitude.

Yves Vadé, *l'Enchantement littéraire : écriture et magie,<br>
de Chateaubriand à Rimbaud,*<br>
Gallimard, 1990.

On mesure, par la confrontation de ces propos critiques, que *René* et son créateur gardent aujourd'hui encore leur mystère fascinant et leur pouvoir de provocation intellectuelle. D'où la nécessité, voire l'urgence, de la relecture, c'est-à-dire d'une renaissance du texte.

# Avant ou après la lecture

## Commentaires

Voir le Guide de lecture (p. 82) qui propose des commentaires composés avec un plan d'étude pour chacun des grands moments du texte.

## Dissertations

1. « La jeunesse, disait Goethe, est un mal dont on se guérit vite. » Examiner la portée de ce propos à la lumière d'une analyse du personnage de René et d'autres héros romantiques.

2. On a souvent dit que les premières œuvres des jeunes auteurs étaient presque toujours des autobiographies plus ou moins déguisées. Commenter.

3. Pour les uns, le « vague des passions » est une maladie de l'âme héritée du XVIIIe siècle finissant ; pour d'autres, c'est le mal typique du romantisme ; pour d'autres, enfin, c'est une malédiction que traîne après soi chaque génération nouvelle. Analyser et commenter.

4. Chateaubriand a été plusieurs fois tenté d'écrire un « vieux René ». L'entreprise paraît-elle possible et / ou intéressante ?

## Thèmes de recherches et d'exposés

1. Chateaubriand et la première génération romantique.

2. À l'aide d'exemples précis, classer les différents registres d'expression exploités dans *René*.

3. Recenser avec l'aide du Petit dictionnaire (p. 158) les

principales figures de style utilisées dans *René*. Les classer en fonction de leur emploi à tel ou tel moment de l'œuvre : lors des descriptions, des analyses, des « morceaux » d'élégie (voir p. 160), des méditations du héros, etc.

4. Étudier le thème de la malédiction et de la fatalité dans la littérature romantique en comparant le personnage de René avec celui d'Oberman (*Oberman,* Senancour), d'Adolphe (*Adolphe,* B. Constant) ou de Raphaël de Valentin (*la Peau de chagrin,* Balzac).

5. Le rôle de la société dans la carrière du héros romantique. Comparer dans cette perspective René avec l'un ou l'autre des personnages suivants : Julien Sorel (*le Rouge et le Noir,* Stendhal), Rastignac (dans les romans des « Scènes de la vie parisienne », Balzac) ou Frédéric Moreau (*l'Éducation sentimentale,* Flaubert).

6. En rapprochant *René* de *l'Isolement* (Lamartine), de *la Maison du berger* (Vigny), de *Tristesse d'Olympio* (Hugo), dégager les principaux visages de l'amour pour les romantiques.

7. Les diverses figures de l'échec dans la littérature romantique : comparer sur ce point René à Adolphe (*Adolphe,* B. Constant), à Hernani (*Hernani,* Hugo), à Lucien de Rubempré (*Illusions perdues,* Balzac), à Frédéric Moreau (*l'Éducation sentimentale,* Flaubert) ou à Dominique (*Dominique,* Fromentin).

# Bibliographie

## Édition

*Œuvres romanesques et voyages,* texte établi, présenté et annoté par Maurice Regard, Gallimard, « Bibliothèque de la Pléiade », 1969 (*René* se trouve aux pages 111 à 146).

*« René » de Chateaubriand, un nouveau roman,* édition du texte intégral et étude par Pierre Barbéris, Larousse, 1973 (le texte de l'édition de 1804 se trouve aux pages 55 à 90).

## Ouvrages généraux

Roland Barthes, *le Degré zéro de l'écriture,* le Seuil, 1953-1970.

René Girard, *Mensonge romantique et vérité romanesque,* Grasset, 1965.

Jean-Paul Sartre, *Questions de méthode,* Gallimard, 1967.

Jean Starobinski, *la Relation critique,* Gallimard, 1970.

Yves Vadé, *l'Enchantement littéraire : écriture et magie, de Chateaubriand à Rimbaud,* Gallimard, 1990.

## Chateaubriand

Pierre Barbéris, *À la recherche d'une écriture : Chateaubriand,* Mame, 1974.

Pierre Barbéris, *Chateaubriand : une réaction au monde moderne,* Larousse, 1976.

Scipion Marin, *Histoire de la vie et des œuvres de M. de Chateaubriand,* 1832.

Louis Martin-Chauffier, *Chateaubriand ou l'obsession de la pureté,* Gallimard, 1944.

George D. Painter, *Chateaubriand, une biographie,* Gallimard, 1976.

Jean-Pierre Richard, *Paysage de Chateaubriand,* le Seuil, 1967.

Charles Augustin Sainte-Beuve, *Chateaubriand et son groupe littéraire sous l'Empire,* 1861.

Victor-Louis Tapié, *Chateaubriand par lui-même,* le Seuil, 1965.

André Vial, *Chateaubriand et le temps perdu,* Julliard, 1971.

*René*

Émile Aubrée, *Lucile de Chateaubriand,* Champion, 1929.

Pierre Barbéris, « les Refoulés successifs dans *René* », in *la Lecture du texte romanesque,* Toronto, Samuel Stevens Hakkert & Co., 1975.

Georges Benrekassa, « le Dit du moi : du roman personnel à l'autobiographie, *René / Werther, Mémoires d'outre-tombe / Poésie et vérité* », in *les Sujets de l'écriture,* Presses de l'université de Lille, 1981.

Georges Chinard, « Quelques origines littéraires de *René* », in *Publications of the Modern Language Association of America,* XLIII, 1928.

Diana Knight, « The Readability of René's Secret », in *French Studies,* XXXVII, 1983.

Luciano Stecca, « *René :* un caso di autocensura », in *Rivista di letterature moderne et comparate,* XXXII, 1979.

# Petit dictionnaire pour expliquer l'indescriptible

**académisme** *(n.m.)* : respect excessivement scrupuleux des règles artistiques édictées par le conservatisme. Il se traduit le plus souvent par des expressions froides et figées. Le romantisme s'est notamment défini en réaction à l'académisme.

**accumulation** *(n.f.)* : succession de mots ou d'expressions pour mettre une idée en valeur (ex. : l. 39-41).

**action** *(n.f.)* : ensemble des événements d'un récit ; progression, mouvement de l'intrigue.

**allégorie** *(n.f.)* : représentation d'une idée ou d'une réalité abstraite par un personnage ou une scène concrète (ex. : l. 131-132).

**allitération** *(n.f.)* : répétition, dans une phrase, d'une même consonne (ex. : l. 174, allitération en « s »).

**allusion** *(n.f.)* : évocation d'une personne, d'une idée ou d'une chose sans la nommer proprement.

**amplification** *(n.f.)* : développement (et parfois grossissement) d'une idée ou d'un sujet par des procédés stylistiques appropriés (ex. : l. 280 à 283).

**analogie** *(n.f.)* : rapport entre des idées, des choses ou des personnes qui présentent des traits communs tout en étant essentiellement différentes (ex. : l. 359-360).

**anaphore** *(n.f.)* : reprise d'un même mot ou d'un même groupe de mots en tête de phrases ou de membres de phrases successifs pour créer un effet de rythme (ex. : l. 258).

**antinomie** *(n.f.)* : contradiction entre deux idées, deux principes ou deux propositions (ex. : l. 282).

**antithèse** *(n.f.)* : rapprochement de termes ou d'expressions de sens contraire, pour mettre une idée en relief par effet de contraste (ex. : l. 503-504). C'est le principe même de l'oxymore (voir ce mot).

**antonomase** *(n.f.)* : figure de style qui consiste à substituer un nom propre à un nom commun, ou le contraire (ex. : l. 817, « la pénitente » pour « Amélie »).

**apologie** *(n.f.)* : éloge ou défense d'une personne, d'une idée ou d'une chose (ex. : l. 404 à 411).

**apologue** *(n.m.)* : court récit comportant un enseignement moral (ex. : l. 1041 à 1050).

**apostrophe** *(n.f.)* : interruption d'un récit ou d'un discours par l'interpellation au style direct d'une personne, ou parfois d'une idée (ex. : l. 470 à 473).

**assonance** *(n.f.)* : répétition d'une même voyelle dans une phrase (ex. : l. 454 à 456, assonance en « en »).

**asyndète** *(n.f.)* : suppression de la coordination ou de la subordination entre des mots ou des propositions, pour donner plus de vivacité au propos tenu (ex. : l. 119 à 125).

**bienséance** *(n.f.)* : désigne ce qui est convenable en société.

**catachrèse** *(n.f.)* : détournement du sens propre d'un mot pour des raisons d'expressivité (ex. : l. 471, « migration »).

**catharsis** *(n.f.)* : d'un mot grec signifiant « purification ». Effet du théâtre sur les passions du spectateur ; par extension, effet de l'œuvre écrite sur son auteur.

**champ lexical** : ensemble des mots (substantifs, adjectifs, verbes, etc.) renvoyant à une même notion.

**chiasme** *(n.m.)* : pour deux expressions ou deux membres de

159

phrase mis en parallèle, reprise dans l'ordre inverse de ces deux membres ou de ces deux expressions (ex. : l. 510).

**cliché** *(n.m.)* : idée, image ou expression usées par trop de répétitions.

**comparaison** *(n.f.)* : rapprochement de deux termes ou de deux propositions à l'aide d'un élément grammatical (« comme », « ainsi que », etc.) pour souligner une similitude ou une ressemblance à des degrés divers (ex. : l. 481-482).

**connotation** *(n.f.)* : signification seconde d'un mot, qui vient s'ajouter au sens premier de celui-ci (voir « dénotation »).

**dénotation** *(n.f.)* : sens premier, élément permanent du sens d'un mot, quel que soit le contexte dans lequel il est utilisé.

**dénouement** *(n.m.)* : partie finale d'un récit, qui en résout l'action ou l'intrigue.

**dérision** *(n.f.)* : moquerie ou raillerie, souvent amère lorsqu'elle est tournée contre soi-même (ex. : l. 342 à 345).

**diatribe** *(n.f.)* : discours de critique violente et acerbe (ex. : l. 1004 à 1031).

**double langage** : discours ou expression pouvant avoir deux sens, l'un évident, l'autre caché (ex. : l. 648-649).

**dramatique** *(adj.)* : qui fait progresser l'action d'un récit.

**économie** *(n.f.)* : au sens littéraire, ordre qui préside à l'organisation des différentes parties d'un texte.

**élégie** *(n.f.)* : « morceau de littérature » exprimant la plainte ou le regret (ex. : l. 656 à 662). Voir aussi « lamento ».

**ellipse** *(n.f.)* : omission de mots grammaticalement nécessaires à la construction d'une phrase, mais que le lecteur peut suppléer facilement. L'ellipse donne plus de vigueur à une expression (ex. : l. 510 à 512).

**emblème** *(n.m.)* : être ou objet représentant symboliquement une chose abstraite, une idée ou une qualité (ex. : l. 824).

**emphase** *(n.f.)* : emploi délibéré de terme(s) au sens très fort pour exagérer l'expression d'une idée (l. 825-826). Voir aussi « hyperbole ».

**épiphonème** *(n.m.)* : exclamation sentencieuse, souvent à valeur de maxime ou de morale, qui vient clore un développement en en résumant plus ou moins l'esprit (ex. : l. 220-221).

**épisode** *(n.m.)* : partie d'une œuvre narrative qui possède ses caractéristiques propres tout en s'intégrant à un ensemble.

**éponyme** *(adj.)* : qui donne son nom. Se dit en particulier d'un personnage qui donne son nom à l'œuvre où son histoire est relatée. Mme Bovary, René sont des personnages éponymes.

**euphémisme** *(n.m.)* : expression utilisée pour adoucir une idée déplaisante ou lugubre. Allusion, antiphrase, litote et périphrase peuvent être utilisées à cette fin (ex. : l. 984, « les derniers moments » désignent l'agonie d'Aurélie).

**euphonie** *(n.f.)* : succession harmonieuse de sons choisis.

**exorde** *(n.m.)* : premières phrases d'un discours qui en annoncent le sujet et le plan de manière séduisante afin d'attirer l'attention des auditeurs.

**exotisme** *(n.m.)* : présence, dans un texte, de personnages, de décors, d'une atmosphère pittoresques qui évoquent des pays étrangers et souvent lointains.

**exposition** *(n.f.)* : passage situé au début d'un récit et destiné à donner au lecteur les informations nécessaires pour qu'il comprenne la situation des personnages.

**hyperbole** *(n.f.)* : mise en valeur d'une idée par une exagération volontaire (ex. : l. 226, « de race divine »).

**hypotypose** *(n.f.)* : description très vive et très directe d'une scène (ex. : l. 840 à 842).

**image** *(n.f.)* : figure stylistique qui rapproche deux termes étrangers l'un à l'autre par un rapport d'analogie (ex. : l. 259).

**intensif** *(n.m.)* : mot ou particule destinés à rehausser la valeur ou la force d'une notion exprimée (ex. : l. 722, « si »).

**intrigue** *(n.f.)* : succession de faits et d'actions qui constituent la trame d'une œuvre et qui retiennent l'intérêt du lecteur jusqu'au dénouement.

**introspection** *(n.f.)* : analyse, par quelqu'un, de ses propres sentiments.

**ironie tragique** : procédé d'expression qui permet à un auteur de faire dire (ou faire) à ses personnages des choses qui auront comme effet l'inverse de ce qu'ils attendent (ex. : l. 568-570).

**lamento** *(n.m.)* : mot emprunté à l'italien et qui désigne un morceau de poésie (moins souvent de prose) dans lequel un personnage exprime une plainte ou une douleur (ex. : l. 866-869).

**leitmotiv** *(n.m.)* : mot emprunté à l'allemand et qui désigne une idée ou une formule revenant fréquemment dans une œuvre, parfois jusqu'à l'obsession.

**litote** *(n.f.)* : atténuation de l'expression d'une pensée, pour faire comprendre en réalité plus qu'on ne dit (ex. : l. 218, « peu » signifie en fait « rien »).

**lyrisme** *(n.m.)* : expression vive et poétique (même en prose) des sentiments personnels.

**mercuriale** *(n.f.)* : violent discours de critique acerbe.

**métaphore** *(n.f.)* : utilisation d'un terme concret pour exprimer une notion abstraite, pour créer une comparaison imagée implicite, sans utiliser de mot comparatif (ex. : l'utilisation du verbe « fouiller », l. 205).

**métonymie** *(n.f.)* : procédé par lequel on substitue, dans une expression, un terme à un autre, ce terme lui étant lié par une nécessité logique comme la cause pour l'effet, le contenant pour le contenu, etc. (ex. : l. 811).

**nœud** *(n.m.)* : mot — plutôt du registre théâtral — désignant le moment où l'intrigue atteint sa complexité maximale.

**oxymore** ou **oxymoron** *(n.m.)* : alliance de mots antithétiques pour mettre en valeur une idée paradoxale (ex. : l. 516).

**paradoxe** *(n.m.)* : idée contraire à l'opinion commune, ou expression de cette idée (ex. : l. 355 à 357).

**pathétique** *(adj.)* : qui provoque chez le lecteur une émotion forte et un sentiment passionné qui le mettent en « sympathie » avec l'auteur ou les personnages (ex. : l. 491 à 496).

**période** *(n.f.)* : agencement de plusieurs membres de phrase pour former un ensemble harmonieux et d'une certaine longueur.

**péripétie** *(n.f.)* : événement imprévu et remarquable survenant dans le cours d'un récit et qui modifie souvent l'action et l'intrigue (ex. : l. 598 à 605).

**périphrase** *(n.f.)* : procédé qui consiste à remplacer un terme par sa définition ou par son explication expressive en plusieurs mots (ex. : l. 661-662).

**personnification** *(n.f.)* : représentation d'une réalité inanimée par une personne (ex. : l. 938 à 942).

**plaidoyer** *(n.m.)* : au sens figuré, propos défendant les choix ou la conduite d'un personnage ou de son auteur (ex. : l. 59 à 65).

**prétérition** *(n.f.)* : figure de style par laquelle on prétend passer sous silence ce que l'on développe effectivement par la suite (ex. : l. 445 et suivantes).

**prolepse** *(n.f.)* : figure de rhétorique utilisée pour prévenir une objection en la réfutant d'avance (ex. : l. 64-65).

**prosopopée** *(n.f.)* : morceau littéraire dans lequel on donne la parole à ce qui en est normalement dépourvu : un mort, un absent, un animal, une idée, etc. (ex. : l. 470 et suivantes).

**rebondissement** *(n.m.)* : suite inattendue d'un événement, qui relance l'action d'un récit (ex. : l. 827 à 835).

**récurrent** *(adj.)* : qui revient, réapparaît, se reproduit au long d'une œuvre (ex. : les mots « société », « douleurs » ou « cœur » dans *René*).

**sophisme** *(n.m.)* : raisonnement ou argument faux, malgré une apparence de vérité, utilisé avec l'intention plus ou moins avouée d'induire en erreur.

**symbole** *(n.m.)* : évocation d'une idée par un signe ou un objet que l'usage a consacré pour la désigner (ex. : l. 814-815).

**synecdoque** *(n.f.)* : procédé consistant à prendre, dans une expression, la partie pour le tout, le genre pour l'espèce (ex. : l. 817, « œil » est employé pour « regard »). Variété de la métonymie (voir ce mot).

**tragique** *(adj.)* : se dit d'un incident ou d'un accident qui provoque chez le lecteur d'un récit des sentiments de terreur ou de pitié devant un personnage en lutte contre lui-même, contre le destin, etc. (ex. : l. 830 à 836).

## Dans la nouvelle collection
*Classiques Larousse*

H. C. Andersen : *la Petite Sirène, et autres contes.*

H. de Balzac : *les Chouans.*

P. de Beaumarchais : *le Mariage de Figaro* (à paraître).

P. Corneille : *le Cid ; Cinna ; Horace ;
Polyeucte* (à paraître).

A. Daudet : *les Lettres de mon moulin* (à paraître).

G. Flaubert : *Hérodias ; Un cœur simple* (à paraître).

J. et W. Grimm : *Hansel et Gretel, et autres contes*
(à paraître).

E. Labiche : *la Cagnotte.*

J. de La Fontaine : *Fables,* livres I à VI (à paraître).

P. de Marivaux : *l'Ile des esclaves ; la Double Inconstance ;
le Jeu de l'amour et du hasard.*

G. de Maupassant : *la Peur, et autres contes fantastiques ;
Un réveillon, contes et nouvelles de Normandie.*

P. Mérimée : *Carmen ; la Vénus d'Ille.*

Molière : *Amphitryon ; l'Avare ; Dom Juan ;
l'École des femmes ; les Femmes savantes ; les Fourberies de
Scapin ; George Dandin ; le Malade imaginaire ; le Médecin
malgré lui ; le Misanthrope ; les Précieuses ridicules ; le
Tartuffe.*

Ch. L. de Montesquieu : *Lettres persanes.*

A. de Musset : *Lorenzaccio.*

*Les Orateurs de la Révolution Française.*

Ch. Perrault : *Contes ou Histoires du temps passé.*

E. A. Poe : *la Lettre volée, et autres nouvelles de mystère* (à paraître).

J. Racine : *Andromaque ; Bérénice ; Britannicus ; Iphigénie ; Phèdre.*

Jean Rostand : *Cyrano de Bergerac* (à paraître).

R. L. Stevenson : *l'Île au trésor* (à paraître).

*Le Surréalisme* (anthologie, à paraître).

Voltaire : *Candide.*

(Extrait du catalogue général des *Classiques Larousse.*)

*Conception éditoriale :* Noëlle Degoud.
*Conception graphique :* François Weil.
*Coordination éditoriale :* Emmanuelle Fillion,
Marianne Briault et Marie-Jeanne Miniscloux.
*Collaboration rédactionnelle :* Catherine Le Bihan.
*Coordination de fabrication :* Marlène Delbeken.
*Documentation iconographique :* Nicole Laguigné.
*Schéma p. 14 :* Thierry Chauchat.

COMPOSITION : SCP BORDEAUX.
MAME IMPRIMEURS. - 37000 Tours. - N° 26334
Dépôt légal : mai 1991. N° de série Éditeur : 16140
IMPRIMÉ EN FRANCE *(Printed in France)*. 871075 - mai 1991.